명상 저널

The Untethered Soul Guided Journal

: Practices to Journey Beyond Yourself

명상 저널

상처받은 영혼을 위한 치유 라이팅북

마이클 싱어 지음 | 노진선 옮김

라이팅하우스

일러두기 : 《명상 저널》은 저자가 《상처받지 않는 영혼》에서 직접 발췌한 핵심 문장과 이어지는 길잡이 글을 통해 독자가 저자의 질문에 답하면서 자신의 내면을 관찰하며 상처를 발견하고 치유해 나가는 여정으로 구성되어 있습니다.

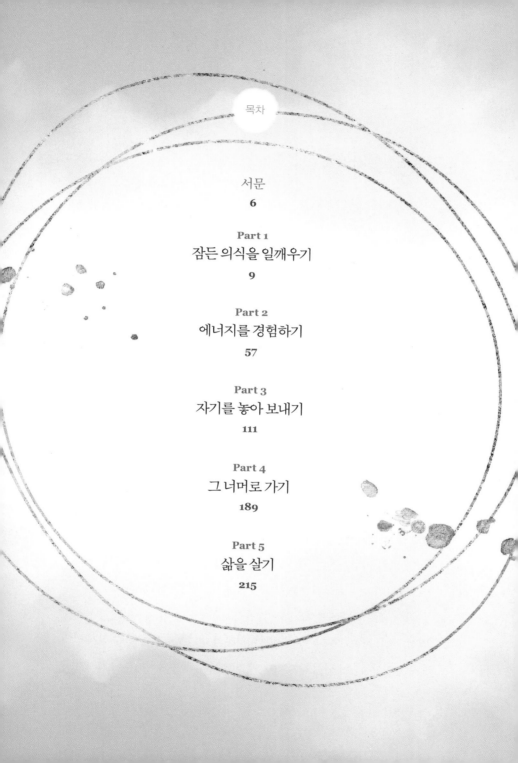

목차

서문
6

Part 1
잠든 의식을 일깨우기
9

Part 2
에너지를 경험하기
57

Part 3
자기를 놓아 보내기
111

Part 4
그 너머로 가기
189

Part 5
삶을 살기
215

서문

가장 진실한 자아를 만나기 위한 여정

"참된 성장을 위해서는 마음의 소리가 곧 내가 아니고,
나는 그 소리를 듣는 자임을 깨닫는 것이 가장 중요하다." –마이클 A. 싱어

처음 《상처받지 않은 영혼》을 쓰려고 했을 때 내 의도는 아주 단순했다. 온전한 내면의 자유로 향하는 여정을 기꺼이 그 길로 걷고자 하는 사람들과 나누고 싶었다. 영적 성장은 단순하고 명확해야 하며, 직관적으로 알 수 있어야 한다. 자유는 세상에서 가장 자연스러운 상태다. 사실 타고난 권리이기도 하다. 문제는 우리의 마음과 감정의 선호가 그 간단한 진실을 이해하기 어렵게 만든다는 점이다. 《상처받지 않은 영혼》은 우리 안에 내재된 진실을 직접적으로 경험할 수 있는 여정으로 우리를 안내한다. 우리 아닌 것을 놓아버릴 때, 우리는 비로소 우리가 누구인지를 발견할 수 있다. 이 깊은 내면으로의 여정은 신비주의자나 학자에게만 해당하는 이야기가 아니다. 이는 참나의 자리로 돌아가는 여정이며 누구든 함께할 수 있다.

이제 기쁜 마음으로 《상처받지 않은 영혼》을 위한 이 아름답고 실용적인 《명상 저널》을 소개한다. 이 일지는 여러분의 내면으로 여행할 수 있게 안내해 주는 이상적인 수단이 될 것이다. 우리는 이 책을 통해 여러분이 각자의 마

음, 감정, 내면의 에너지와 맺고 있는 심오한 관계를 이해하도록 안내할 생각이다. 여러분은 시끄러운 마음을 놓아주고, 마음속에 담아두었던 과거의 힘든 경험과 상처를 놓아 보내게 될 것이다. 그렇게 함으로써 모든 것을 지켜보고 있는 가장 내밀한 참나의 자유와 행복에 도달할 수 있게 된다.

각각의 장은 《상처받지 않은 영혼》에 나왔던 가장 의미 있는 핵심 구절들로 시작한다. 그다음에 이어지는 길잡이 글은 그 가르침을 실생활에 적용할 수 있도록 권장한다. 이를 통해 가르침의 핵심으로 더 깊이 뛰어들고, 그것을 일상의 일부로 만들 수 있다. 가끔은 좀 더 자신을 돌아보고 숙고하도록 이끌기도 할 것이다. 그런가 하면 더 심오한 수행을 하도록 도와주는 연습도 있을 것이다. 책의 가르침과 당신의 관계를 글로 써 보면 가르침을 더 깊이 이해하는 데 도움이 되므로 이 일지에 당신의 경험을 쓰고 그에 대해 생각해 보라. 그것이 바로 저널링의 목적이다. 말의 위력을 넘어서 직접적인 경험의 위력으로 가는 것.

이제 당신은 상처 주위에 보호막을 둘러친 자기 자신을 넘어서서 내면의 자유, 행복, 깨달음으로 가는 여정을 시작하려 한다. 이 저널을 읽고, 생각하고, 직접 쓰면서 각 장이 치유의 이야기로 채워지는 것을 보게 되리라. 어쩌면 이 책의 제한된 공간에서 벗어나 다른 일지에 자신의 생각을 계속 써 나갈 수도 있다. 혹은 어떤 구절을 읽은 뒤에는 글을 쓰기보다는 생각에 더 잠길 수도 있다. 어떤 문장은 그대로 필사할 수도 있다. 어떤 식이든 다 괜찮다. 이 일지를 당신만의 방식대로 활용하라. 일지를 다 쓴 뒤에는 언제든 가장 여운이 큰 길잡이 글로 돌아갈 수 있다. 시간이 흐를수록 당신의 이해는 더 깊어질 것이다.

마음의 소리를 지켜보는 자가
누구인지 알게 되면
창조의 가장 위대한 비밀을 알게 될 것이다.

Part 1

잠든 의식을 일깨우기

알고 있겠지만 당신의 머릿속에서는 마음의 독백이 한시도 끊이질 않는다. 그것은 꼬리에 꼬리를 물고 끝없이 이어진다. 그것이 왜 거기서 그런 소리를 하는지 궁금해 한 적이 있는가? 마음은 언제, 무슨 말을 할지 어떻게 결정할까? 그 말이 어디까지 맞을까? 과연 중요한 말이 있기는 했나? 지금 이 순간, "그게 대체 무슨 말이야? 내 머릿속에는 아무 소리도 안 들린다고!"라는 소리가 속에서 들린다면, 그것이 바로 우리가 이야기하고 있는 것이다.

생각을 알아차리는 연습을 시작하자. 당신은 생각이 아니다. 생각은 그저 당신이 인식하는 대상이다.

눈을 감고 마음에 귀를 기울이면 무슨 생각이 들리는가?
마음이 말하고 있다는 걸 알아차리는 기분이 어떠한가?

이 끊임없는 마음의 수다에서 해방되는 방법은 뒤로 물러나서 그것을 객관적으로 바라보는 것이다. 마음의 소리를 그저 그 속에 누군가가 있어서 당신에게 말하는 것처럼 느껴지게 만드는 '소리 기계'라고 생각하라. 그것에 대해 생각하지 말고, 그저 알아차려라. 그것이 무슨 말을 하든지 결국에는 똑같다. 상냥한 말을 하든, 정떨어지는 말을 하든, 저속한 말을 하든, 영적인 말을 하든 상관없다. 모두 당신의 머릿속에서 지껄이는 하나의 목소리라는 사실에는 변함이 없기 때문이다.

눈을 감고 마음속으로 사실이 아닌 이야기를 해 보라. 예를 들면, "우리 집 강아지는 파란색이야." 그렇게 말해도 마음은 태연하다는 걸 알아차려라. 당신은 아직 깨닫지 못했을 테지만, 내면의 목소리는 종종 사실이 아닌 말을 한다. 마음은 아무 말이나 할 수 있고(또한 할 것이고), 우리에게는 마음이 하는 말을 전부 믿지 않아야 할 책임이 있다.

시간이 흐른 뒤에 마음의 소리가
거짓으로 판명되었던 때를 적어 보자.
마음의 소리는 당신과 분리되어 있고,
무슨 말이든 할 수 있다는 걸 이해하겠는가?

12

마음이 말하면 당신은 그걸 듣는다. 지금 마음속으로 "안녕"이라고 말해 보라. 서너 번 반복해 보라. 이번에는 속으로 크게 소리쳐 보라! 마음속에서 "안녕"하고 말하는 소리가 들리는가? 당연히 들릴 것이다. 마음속 소리가 있고, 그 소리를 알아차리는 당신이 있다. 문제는 마음속에서 "안녕"이라는 소리가 들리는 건 알아차리기 쉽지만, 마음이 무슨 말을 하건 이건 그저 마음의 소리이고 당신은 들을 뿐이라는 사실을 알아차리기란 어렵다는 것이다. 특별히 당신과 더 동일시해야 하는 마음의 말 따위는 없다.

즐거운 하루를 보내면 자신에 대해 어떤 생각이 드는가?
나에 대해 할 수 있는 긍정적인 생각을 몇 문장으로 써 보자.

_____

_____

_____

_____

_____

_____

_____

_____

_____

힘든 하루를 보내고 나면
자신에 대해 어떤 생각이 드는가?
그 생각도 적어 보자.

나에 대한 생각이 얼마나 크게 달라질 수 있는지 보자.

이 관점에서 보면 마음의 소리가 내가 아님을 훨씬 쉽게 이해할 수 있다.

진정한 성장을 위해서는 마음의 소리가 곧 내가 아니고, 나는 그 소리를 듣는 자임을 깨닫는 것이 가장 중요하다. 이걸 이해하지 못하면 당신은 마음의 소리가 말하는 온갖 것들 중에서 어떤 게 진짜 자신인지를 알아내려고 끙끙댈 것이다.

잠시 결정을 내리기가 힘들었던 때를 생각해 보자. 그 일을 왜 해야 하는지 나에게 말한 다음, 왜 하면 안 되는지도 말했는가? 어쩌면 그 일을 두고 자신과 설전을 벌였을 수도 있다. 우리 마음속에는 각자 원하는 바가 다른 수많은 사람들이 있는 듯하다. 하지만 당신은 그 모두를 알아차리고 있다는 걸 자각하라. 사실 이 많은 소리 중 어느 것도 내가 아니다. 나는 그 소리들과 망설임을 인식하는 자이다.

마음속에서 각기 다른 생각이 충돌할 때 어떤 기분인지 써 보자.
그런 다음, 이 충돌이 한없이 계속되는 걸 알아차리는
나에 대해서도 써 보자.

16

객관적으로 바라보면, 내면에 불안과 두려움 혹은 욕망의 에너지가 쌓일수록 마음이 극도로 심하게 떠들어 대는 걸 알게 될 것이다. 누군가에게 화가 나서 야단치고 싶을 때 이것을 쉽게 관찰할 수 있다. 상대를 만나기도 전에 내면의 목소리가 얼마나 반복해서 꾸짖어 대는지 지켜보라. 마음속에 에너지가 쌓이면 그걸 처리하기 위해 무언가 하고 싶어진다. 목소리가 지껄이는 것은 마음이 편하지 않기 때문이고, 지껄임은 그 불편한 에너지를 풀어 준다.

오늘은 마음을 점점 더 불안하게 하는 것이 무엇인지 살펴보라. 마음의 소리가 점점 더 심해지는 것을 알아차려라.

마음이 어떻게 반응했는지,

무슨 일 때문에 마음이 떠들어 댔는지 적어 보자.

누군가와 나눌 대화를 미리 연습했나? 내면의 공포가 건드려졌나?

순간적으로 수치심이나 분노, 결핍감을 강하게 느꼈나?

마음이 그 불편한 상황을 개선하려고

열심히 떠들어 대는 게 보이는가?

외부 세계에서의 경험과 당신이 내면세계와 맺는 상호작용 사이에는 어떤 차이점이 있는지 잠시 살펴보자. 당신은 이 마음의 놀이터에 자리를 잡고서, 생각을 만들어 내고 조종하는 데 매우 익숙하다.

주위를 관찰하자.
외부에 보이는 것을 적어 보자.

이제 외부에 보이는 것을 대상으로
마음이 어떤 생각을 만들어 내는지
적어 보자.

결국 당신이 경험하는 것은 꾸밈없고 여과되지 않은, 있는 그대로의 진짜 세상이라기보다 당신의 해석에 따른 당신만의 세상이다. 외부 세계의 경험에 대한 이러한 마음의 조작은 있는 그대로의 현실에 대한 완충작용을 한다. 예컨대 당신은 한순간에 무수히 많은 사물을 보지만 마음은 그중 몇 가지만 해설해 준다. 마음속에서 거론되는 것들은 당신에게 중요한 것들이다. 이 미묘한 사전 처리 과정을 통해 현실 경험이 마음속에서 딱 맞아떨어지도록 통제할 수 있게 된다. 사실 당신의 의식은 현실 그 자체가 아니라 마음이 만들어 낸 현실의 모형을 경험하고 있다.

오늘은 마음이 현실의 어떤 부분을 해설해 주는지 알아차려 보자.
하루에도 당신이 간과하는 많은 사건이 일어난다.
그중에서 당신의 주의를 끄는 사건은 무엇이며 그 이유는 무엇인가?
마음속 해설자는 언제 가장 열심히 떠들어 대는가?
마음이 떠들어 대도록 자극하는 건 무엇인가?

당신이 마음에게 그 임무를 맡겼기 때문에 마음이 그토록 끝없이 떠들어 댔다는 것을 이제 당신도 깨닫게 될 것이다. 당신은 이런 마음의 수다를 일종의 보호 장치이자 방어 수단으로 사용한다.

삶의 특정한 문제나 위협적인 문제를 해결하려는 목적으로
떠들어 대는 마음의 소리를 지켜보자.

당신의 마음은 무엇을 해결하려고 하는가?
마음은 그 문제를 어떻게 해결하려고 하는가?
무엇이 위기에 처했는가(마음이 보호하려는 것은 무엇인가)?

사실 당신은 세상을 지킨다는 핑계 아래 당신 자신을 지키려고 발버둥 치고 있다.

개인의 진정한 성장이란, 불안해하면서 보호를 요청하는 자기 안의 어떤 부분을 뛰어넘는 것에 관한 문제이다. 마음의 소리가 아니라 그 목소리를 알아차리는 사람이 곧 나라는 사실을 끊임없이 상기하는 연습을 통해서 그렇게 될 수 있다. 그것이 바로 출구이다. 당신이 늘 자신에게 끊임없이 자신에 대해 말하고 있다는 사실을 인식하는 내면의 그는, 언제나 말이 없다. 이것이 존재의 심층으로 들어가는 문이다.

아침에 잠에서 깨거나, 밤에 자려고 할 때, 계속 상황을 통제하거나 고치려고 떠들어 대는 마음의 소리가 있는지 살펴보자. 이 소리를 알아차린 뒤에는 몸을 이완하고 호흡하며 지금 느끼는 감정과 생각을 그저 알아차리는 내면의 일부에 초점을 맞추자.

떠오르는 생각들과 함께

그걸 객관적으로 알아차리는 게

어떤 기분인지도 적어 보자.

당신의 마음은 계획을 세우고 있는가?

문제를 해결하고 있는가? 걱정하고 있는가?

그 생각을 지켜보고 긴장을 풀고 호흡한 다음에

흘려보낼 수 있는가?

27

결국 많은 문제를 품고 있는 내 안의 일부에서 해방되기 전에는 결코 문제로부터 자유로워질 수 없다. 문제가 당신을 괴롭히면 "이걸 어떻게 해야 하지?"라고 묻지 말고 "이 일로 내 안의 어떤 부분이 괴로워하지?"라고 자문하라. "이걸 어떻게 해야 하지?"라고 물으면 외부에 정말로 처리해야 할 문제가 있다는 함정에 이미 빠져 버린 셈이다.

오늘은 마음속 응어리를 건드리는 일이 일어나
에너지가 바뀌는 기분이 들 때마다 이렇게 자문하자.
"내 안의 어떤 부분이 힘들지?" 그런 다음에 곰곰이 생각해 보자.
나를 괴롭히는 건 정말로 그 상황인가? 아니면 그 상황을 핑계로
내가 나를 괴롭히는 것인가? 알아낸 사실을 적어 보자.

대부분의 문제는 겉으로 보이는 것과 다르다. 진정한 문제는 사사건건 말썽을 일으킬 소지가 이미 당신 내부에 있다는 것이다. 문제를 해결하려면 외부 조건을 바꿔야 한다고 생각하는 습관을 버려야 한다. 그러려면 '외부의 해결책'을 찾는 태도로부터 '내부의 해결책'을 찾는 태도로 마음을 바꿔야 한다. 당신의 문제에 대한 영구적인 해결책은 내면으로 들어가서 현실과 온갖 말썽을 일으키고 있는 당신의 일부를 해방시켜 주는 것뿐이다. 그러고 나면 나머지 것은 어떻게 처리해야 할지 확연히 알게 된다.

지금 당신이 가진 문제를 적어 보자.

바깥세상을 바꾸기보다
당신 안에서 놓아줄 수 있는 무언가가 있는가?

당신의 내적 존재에는 뚜렷이 구별되는 두 가지 측면이 있다. 첫째는 의식이며, 지켜보는 자이며, 의지의 중심인 당신이다. 둘째는 당신이 지켜보는 그것이다. 문제는 당신이 지켜보는 그 부분은 절대 입을 다물 줄 모른다는 것이다. 그 부분을 어떻게 잠시 동안만이라도 없애 버릴 수만 있다면, 지금껏 당신이 누려본 적 없는 평화와 고요라는 최고의 안식을 얻게 될 것이다.

마음이 얼마나 떠들어 대는지 알아차리는 쉬운 방법은 샤워할 때 지켜보는 것이다. 당신은 그저 조용히 씻는가? 아니면 마음이 바삐 떠드는가? 후자임을 알게 될 것이다. 마음은 오늘 하루의 계획을 세우기도 하고, 카드 값이 너무 많이 나왔다고 투덜대기도 하고, 이런저런 미래를 꿈꾸기도 할 것이다. 마음은 늘 떠든다. 샤워할 때든 운전할 때든 버스에 앉아 있을 때든. 하지만 당신 내면에는 그 소리를 알아차리는 자도 있다. 그 관찰자는 늘 말이 없다. 그저 평화롭게 샤워를 하거나 차에 앉아 있다면 어떤 기분일지 상상해 보자.

샤워할 때 마음이 뭐라고
떠들어 대는지 적어 보자.
마음의 수다가 도움이 되는가? 귀찮은가?
긍정적인가 아니면 부정적인가?
그중에서 어디까지가
정말로 필요한 말인가?

이번에는 생각이 만들어 내는
끊임없는 소음에서 자유로워진다면
어떤 기분일지 적어 보자.

평화와 만족을 찾는 유일한 길은
자신에 대한 생각을 멈추는 것임을 깨달아야만
비로소 내적으로 성장할 수 있다.

분노나 질투는 내가 아니다. 나는 그런 감정을 알아차리는 자이다. 일단 그런 의식의 자리에 앉게 되면 마음의 혼란을 없애 버릴 수 있다. 지켜보는 것으로써 그 작업을 시작하자. 당신이 거기서 벌어지는 일을 인식하고 있음을 그저 알아차리면 된다. 어렵지 않다. 그러면 자신이 온갖 장점과 약점을 다 지닌 한 인간의 인격을 목격하고 있음을 깨달을 것이다. 그것은 마치 어떤 사람과 함께 있는 것과도 같다. 실제로 당신은 '룸메이트'와 함께 산다고 말할 수도 있다.

내 생각과 특이한 면이 곧 나는 아니라는 사실을 생각해 보자. 성격은 내 안에서 나와 함께 사는 룸메이트라는 사실을 이해하겠는가?

내 의식 그리고 내 안에서 경험하는
지극히 인간적인 성격(룸메이트)의 차이점을 써 보자.

마음속 룸메이트가 정말로 어떤 존재인지 이해하려면 그걸 외부적으로 인격화해 보면 된다. 룸메이트가 몸을 가지고 있다고 상상해 보자. 내부에서 지껄이는 이 인격체를 외부에서 당신에게 말을 거는 사람이라고 상상하자. 마음의 소리를 전부 그 사람이 밖에서 말하고 있다고 상상해 보자. 그리고 그 사람과 하루를 보내자. 이렇게 마음이 계속 떠들어 대도록 두는 게 얼마나 고역인지 깨달아라.

마음의 룸메이트와 함께 가장 좋아하는 산책길을 걸어 보거나 그냥 동네 산책이라도 해 보자. 오늘 하루 동안 이 룸메이트를 실제 동행이라고 상상하자.

룸메이트와 함께 있는 게 즐거운가?

그 사람은 성격이 어떤가?

마음의 룸메이트와

하루를 보낸 소감이 어떤가?

이 룸메이트가 하는 이야기는 부정적인가?

아니면 긍정적인가? 무서운가? 당신을 평가하는가?

지금 이 순간에도 그렇듯 당신의 삶은 당신의 소유가 아니다. 그것은 당신 마음속 룸메이트의 것이다. 당신은 그것을 되찾아야 한다. 지켜보는 자의 자리에 확고히 자리 잡고 서서, 당신을 지배하는 습관적인 마음의 손아귀에서 벗어나야 한다. 다른 누구도 아닌 당신의 삶이다. 당신의 권리를 되찾아라.

룸메이트에게 방을 빼 달라고 요청해 본 적 있는가?
부정적이고 시끄러운 생각은 까다로운 룸메이트와 같다.
오늘 그렇게 부정적인 생각들이 떠오른다면
그게 당신의 에너지에 어떤 영향을 미치는지 주목하자.
그에 대해 적어 보자.

이제 이 룸메이트에게 방을 빼 달라고 하거나
적어도 룸메이트의 말을 듣지 않을 때 당신에게 생길
새로운 평화의 공간에 대해 써 보자.

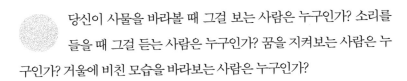 당신이 사물을 바라볼 때 그걸 보는 사람은 누구인가? 소리를 들을 때 그걸 듣는 사람은 누구인가? 꿈을 지켜보는 사람은 누구인가? 거울에 비친 모습을 바라보는 사람은 누구인가?

당신 안에는 변하지 않는 관찰자가 있다. 심호흡을 몇 번 하고 그 관찰자와 교감하자. 기분이 어떤가? 마음 그리고 외부 세계와 평화롭게 분리되는 게 느껴지는가?

당신과 내가 대화를 나눈다고 해 보자. 서양에서는 누군가 다가와서 "실례지만, 당신은 누구신가요?"라고 물어도 심오한 질문을 했다고 나무라지 않고 그냥 이름을 말해 준다. 예컨대 샐리 스미스라고. 하지만 나는 종이 한 장을 꺼내서 거기에 '샐-리-스-미-스'라고 적고는 그걸 당신에게 보여 주며 따질 것이다. 이 글자의 조합이 당신인가요? 이 글자가 그것을 보고 있는 당신인가요? 당연히 아니다. 그래서 당신은 이렇게 말한다. "알았어요, 당신 말이 맞네요. 미안해요. 난 샐리 스미스가 아니에요. 그건 그저 사람들이 날 부르는 이름이고 꼬리표죠. 사실 전 프랭크 스미스의 아내예요."

나에 대한 설명이라고 생각하는 것들을 적어 보자.
이름, 나이, 성별, 직업, 인종, 가족 관계 등등이 포함될 수 있다.
"나는 누구인가?"라는 질문에
당신이 전형적으로 하는 대답을 적어 보자.

이 꼬리표들을 생각해 보자.

이 꼬리표 중에서 바뀔 만한 것이 있는가?

바뀐 뒤에도 당신은 여전히 같은 사람으로 남아

그게 바뀌었다는 걸 알아차릴 것인가? 적어 보자.

당신은 생각이 아니다. 당신은 그저 생각을 인식할 뿐이다. 마침내 당신은 이렇게 말한다. "그래, 외부 세계의 어떤 것도 내가 아니고, 나는 감정도 아니야. 외부와 내면의 이런 대상들은 왔다가 지나가고, 나는 그저 경험할 뿐이야. 게다가 난 생각도 아니야. 생각은 시끄러울 때도 있고 조용할 때도 있어. 행복할 때도 있고 슬플 때도 있어. 생각은 그저 내가 인식하는 또 다른 대상에 불과해. 그렇다면 대체 나는 누구지?"

눈에 보이고 귀로 들리고
몸으로 느껴지는 모든 외부 환경을 관찰하라.
바깥세상에는 무엇이 있는가?

이제 (마음, 감정, 몸의 감각을 포함한) 내부의 경험을 지켜보라.
거기서 무엇을 알아냈는가?

외부와 내면을 지켜보는 동안
내면과 외부 대상의 관찰자인 당신에 대해 무엇을 알아냈는가?

이는 심각한 의문이 된다. "나는 누구지? 이 모든 육체적, 감정적, 정신적 경험의 주체는 누구일까?" 그래서 당신은 이 의문을 조금 더 깊이 숙고한다. 경험을 흘려보낸 뒤 누가 남는지 알아차리는 게 그 방법이다. 그렇게 하면 경험을 경험하는 주체가 누구인지를 깨닫게 될 것이다. 당신은 마침내 경험자인 당신이 어떤 특별한 속성이 있다는 걸 깨닫는, 내면의 어떤 지점에 이를 것이다. 그 속성이란 의식이자 인식이며 직관적으로 느껴지는 존재감이다.

각각 다른 나이에 찍은 사진 세 장을 모아 보자.
이 사진을 곰곰이 바라보며 생각해 보자.
체형이 어떻든,
무슨 옷을 입었든
이 세 장의 사진에
늘 존재하는 사람은
누구인가? 그것이
사진 속 이미지 뒤에
늘 존재하는 당신의
핵심이다. 당신이 늘
어떤 사람이었는지
써 보자.

의식의 핵심은 인식인데, 인식은 어떤 것을 다른 것보다 더 선명하게 인지할 수 있는 능력이 있다. 다시 말해 특정한 대상에 집중할 수 있는 능력이 있다. 선생님들은 "내 말에 집중해"라고 말한다. 그게 무슨 뜻일까? 의식을 한곳에 모으라는 뜻이다.

아무도 집중하는 법을 가르쳐 주지 않는다. 우리는 그저 직관적으로, 자연스럽게 그 방법을 안다. 태어날 때부터 알고 있었다.
한 물체에 2분간 주의를 집중하자. 몸과 마음에 어떤 변화가 일어나는가?

그 2분간 무슨 일이 있었는지 적어 보자.
마음이 방황하거나 다른 데 정신이 팔리지 않고 거기에만
집중할 수 있었는가? 마음이 방황했다면 다른 데 정신이 팔렸다는 걸
알아차리고 다시 물체에 집중할 수 있었는가?

지금 당신은 의식의 중앙에 앉아서 당신이 주인공인 TV 쇼를 보고 있다. 하지만 주위에 정신을 산란하게 하는 재미있는 대상들이 너무 많아서 자기도 모르게 그쪽으로 마음이 향한다. 그것들은 사방에서 당신을 에워싸고 있다. 당신의 생각과 감정뿐 아니라 시각, 청각, 미각, 후각, 촉각 등 모든 감각이 당신을 끌어당긴다. 하지만 당신은 그저 의식 속에 고요히 앉아서 이런 일들을 내다보고 있다. 태양이 하늘에서 자리를 뜨지 않고도 환한 빛으로 만물을 비출 수 있듯이 의식도 중심에 자리 잡은 채 형상과 생각과 감정이라는 대상들에 인식을 비출 수 있다. 다시 중심으로 돌아가고 싶다면 단지 속으로 "안녕"하고 반복해서 말을 건네라.

감각을 통해 들어오는 광경과 소리, 냄새를 알아차려라. 무엇이 싫고, 좋다는 생각이 드는가? 마음이 개인적 선호도와 기준에 따라 현실에 꼬리표를 붙이는 걸 알아차려라. '깔끔하다' '지저분하다' '가볍다' '차갑다' '아침 식사를 준비할 때와 같은 냄새다' 등등. 이제 눈을 감고 마음속으로 "안녕"을 반복해서 말하며 다시 중심으로 돌아간다.

마음의 꼬리표가 붙어 있는 세상을 떠나 당신의 중심으로 돌아온 기분이 어떤가?

참나의 본성을 들여다볼 때, 당신은 명상을 하고 있는 것이다. 그래서 명상이 가장 높은 경지인 것이다. 명상은 당신 존재의 뿌리, 곧 인식하고 있음을 인식하는 상태로 돌아가는 것이다. 일단 의식 자체를 의식하게 되면 당신은 전혀 다른 상태에 이른다. 이제 당신은 자신이 누구인지 인식하게 된다. 깨어난 존재가 된 것이다.

잠시 눈을 감고 앉아서 몸에서 느껴지는 모든 감각을 알아차리자. 마음 속에 일어나는 모든 생각과 감정도 알아차리자. 당신이 그 모든 걸 인식하고 있다는 사실도 알아차리자. 그런 다음 다시 인식하는 상태에 집중하자. 자신이 인식한다는 걸 인식할 수 있겠는가?

생각과 감정을 알아차리는 게 어떠한지 적어 보자.

그저 몸의 감각을 가만히 경험하는 건 어떠한가?

그것이 바로 각성이다.

일상생활을 하면서 깊은 곳에 존재하는 인식을 느끼기 시작했는가?

충만한 삶을 누린다는 것이 당신에게는
늘 에너지가 넘치고 사랑과 열정을 경험하는 의미라면
결코 마음의 문을 닫지 마라.

Part 2

에너지를 경험하기

의식이 삶의 위대한 미스터리 중 하나라면 내면의 에너지는 또 다른 미스터리다.

사실 몸의 모든 움직임과 당신이 느끼는 모든 감정, 마음을 스쳐 가는 모든 생각에는 에너지가 소비된다.

예를 들어, 어떤 생각에 집중할 때 다른 생각이 끼어들면 그 생각을 밀어내기 위해 반대되는 힘을 써야 한다. 그러려면 에너지가 필요하고, 나중에는 지칠 수 있다.

마음속에서 서로 싸우는 생각들을 지켜보라.

'만약 ~했다면' '하지만' '~해야 해' 같은 생각들이

당신의 주의를 끌려고 경쟁한다.

각기 다른 생각들이 에너지에 어떤 영향을 미치는지 적어 보자.

생각을 만들어 내고, 어떤 생각에 매달리고, 무언가를 기억해 내고, 감정을 일으키고, 통제하고, 내면의 강한 충동을 길들이는 데는 엄청난 에너지가 소모된다. 이 모든 에너지가 대체 어디에서 오는 걸까? 왜 어떨 때는 기운이 넘치다가 어떨 때는 완전히 진이 빠진 느낌이 들까? 정신적, 감정적으로 소진되었을 때는 음식도 별 도움이 되지 않는다는 걸 깨달은 적이 있는가? 반대로 사랑에 빠졌을 때나, 어떤 일로 인해 흥분하고 고무되었을 때 너무나 기운이 넘친 나머지 밥 먹는 것도 잊어버린 적은 없었는가? 우리가 이야기하는 이 에너지는 몸이 음식을 태워서 만들어 내는 칼로리에서 나오는 것이 아니다. 우리 내면에는 우리가 끌어낼 수 있는 에너지의 원천이 있다. 그것은 외부의 에너지원과는 다르다.

잠도 푹 자고, 잘 먹었는데도 피곤하고 지쳤던 때를 생각해 보자. 누군가와 헤어졌거나 사랑하는 사람을 잃은 무렵이었을 수 있다. 혹은 누군가로부터 상처를 받거나 무언가를 시도했다가 실패했던 때였을 수도 있다.

이제 다시 생각해 보자.
내면의 에너지가 다시 잘 흐르게 된 계기는 무엇이었는가?
당신이 좋아하는 일이 일어났는가?
새로운 프로젝트를 시작하면서 고무되었는가?

에너지가 이렇게
밀려왔다가 빠져나간 것을 바라보면서
무엇을 알아차렸는가?
무엇이 내면의 에너지를
줄어들게 하고, 또 무엇이 에너지를
늘어나게 했는가?

주의 깊게 관찰해 보면 내 안에 엄청나게 많은 에너지가 있다는 사실을 알게 될 것이다. 그것은 음식에서 나오는 것도, 숙면에서 나오는 것도 아니다. 이 에너지는 언제나 마음대로 쓸 수 있다. 당신은 어떤 순간이든지 그 에너지를 끌어낼 수 있다. 그것은 그저 속으로부터 차올라서 당신을 가득 채운다. 에너지가 충만할 때는 세상 어떤 일이든 다 해낼 수 있을 것 같다. 기운이 강하게 흐를 때는 실제로 그것이 물결처럼 당신을 통과하는 것을 느낄 수 있다. 에너지는 안쪽 깊은 곳에서 저절로 솟아나서 당신을 회복시키고, 다시 채우고, 재충전한다.

잠을 몇 시간 잤든, 무엇을 먹었든 관계없이 에너지를 각성했던 때를 떠올려 보자. 당신 안에서 치밀어 오르는 더 거대한 에너지원에서 나온 듯한 에너지가 당신에게 기쁨과 활력을 주었던 때는 언제인가?

에너지가 솟구쳤던 경험을 써 보자.
전후 사정이 어떠했는가? (언제, 어디서, 누구와 무엇을 했는가?)
기분이 어떠했는가?

이 에너지를 항상 느끼지 못하는 유일한 이유는 당신이 그것을 막고 있기 때문이다. 당신은 가슴을 닫음으로써, 마음을 닫음으로써, 그리고 내면의 비좁은 공간으로 스스로를 끌어들임으로써 에너지를 막아 버린다. 이것이 당신을 모든 에너지로부터 차단한다. 가슴이나 마음을 닫을 때 당신은 내면의 어둠 속으로 숨어든다. 거기에는 빛이 없다. 에너지도 없다. 아무것도 흐르지 않는다. 에너지는 여전히 거기 있지만 당신이 있는 그 안으로 들어갈 수 없다. 그게 바로 '차단된다'는 말의 의미이다.

"내가 왜 마음의 문을 닫았을까?"라고 자문해 보자. 그런 다음, "그게 정말 그럴 만한 가치가 있었을까?"라고 자문해 보자.

마음의 문을 닫아거는 것이
어떤 기분인지 써 보자.

그것이 마음과 가슴에 어떤 영향을 미쳤는가?

에너지의 흐름에는 어떤 영향을 미쳤는가?

그것이 당신을 둘러싼 세상을 보는 데

어떤 영향을 미쳤는가?

우리 안에는 다양한 에너지 중추가 존재하지만, 열고 닫힘을 직관적으로 가장 잘 느낄 수 있는 곳은 가슴 중추이다. 당신이 누군가를 사랑한다고 해 보자. 그와 함께 있으면 자신이 활짝 열리는 것을 느낀다. 상대를 신뢰하기 때문에 당신의 벽이 사라지고 그것이 크고 높은 에너지를 느끼게 만든다. 하지만 만약 상대가 당신이 싫어하는 행동을 한다면, 다음에 만났을 때 당신의 기분은 그다지 고양되지 않을 것이다. 사랑하는 마음도 예전 같지 않다. 대신 가슴이 경직된다. 이는 가슴을 닫았기 때문에 일어나는 현상이다. 가슴은 에너지의 중추로서 열리기도 하고 닫히기도 한다. 요가를 수련하는 사람들은 이 에너지 중추를 차크라(Chakra:'바퀴'라는 뜻의 산스크리트어로 에너지의 샘이자 관문 같은 곳_편집자 주)라고 부른다. 가슴 중추를 닫아 버리면 에너지가 흘러들어오지 못한다. 그렇게 되면 내면이 어두워진다. 얼마나 단단히 닫혔는지에 따라 엄청난 혼란을 겪기도 하고 손쓸 수 없는 무기력에 빠지기도 한다. 사람들은 종종 이 두 상태 사이를 오간다.

사랑하는 사람에게 상처를 받았던 때를 생각해 보자.
가슴이 닫히는 걸 느꼈는가? 실제로 가슴이 아프고,
한복판이 경직되었는가? 그때 마음에 떠올랐던 생각들을 적어 보자.
그 상황을 '해결'하려고 당신이 사용했던 방법들도 적어 보자.

의식이 맑은 상태에서 이 모든 걸 지켜볼 수 있다면
어땠을지 적어 보자. 늘 썼던 방법 말고
이 상황을 해결할 정말로 확실한 방법이 있을까?

에너지가 좋다면(누구나 그럴 것이다) 절대 자신을 닫지 마라. 열어 두는 방법을 배울수록 더 많은 에너지가 흘러들어올 것이다. 문을 닫지 않는 것이 곧 열어 두는 연습이다. 마음의 문을 닫으려고 할 때마다 정말로 에너지의 흐름을 끊고 싶은지 자문해 보라. 왜냐하면 당신이 원하기만 하면, 세상에서 무슨 일이 일어나든 상관없이 열려 있을 수 있는 법을 배울 수 있기 때문이다. 다만 당신이 무한한 에너지를 받아들일 수 있는지 그 그릇을 살펴보겠다는 결심을 하라. 그저 닫지 않겠다고 결심하라.

외부 상황이나 내부의 충동은 마음의 문을 닫으라고 하는데도 계속 열어 두었던 때가 있는지 생각해 보자. 그렇게 하기가 힘들었나?

왜 마음의 문을 닫지 않으려고 노력하기로 했는지 써 보자.

다음 문장을 완성하라.

"나는 _____ 함으로써
어떤 상황에서든 나의 가장 깊은 에너지원에 마음을 열어 둘 수 있다."

진정 열려 있기를 원한다면, 사랑과 열정을 느낄 때를 주의 깊게 살펴보라. 왜 늘 이런 기분으로 살 수 없는지 자신에게 물어보라. 그 감정은 왜 사라져야만 하는가? 답은 명백하다. 당신이 가슴을 닫기로 선택하면 그 감정은 사라지는 것이다. 그렇게 닫음으로써 당신은 사실 열림과 사랑을 느끼지 않기로 선택한 셈이다. 당신은 늘 사랑을 저버리고 있다. 누군가에게 사랑을 느끼다가도 그가 마음에 들지 않는 말을 하면 사랑을 포기해 버린다. 열정적으로 일하다가도 누군가에게 비난을 받으면 일을 그만두고 싶어 한다. 당신이 그걸 선택했다. 당신에게 일어난 일이 못마땅해서 마음의 문을 닫아걸 수도 있고, 아니면 그럼에도 닫지 않음으로써 사랑과 의욕에 찬 상태를 계속 누릴 수도 있다.

사랑을 저버리지 않는 연습을 해 보자. 가슴을 열어 두는 동안 가슴을 다시 닫히게 만드는 요인이 무엇인지 주목하자. 아마 당신이 원치 않는 일이 벌어졌을 것이다. 그 경험이 무엇인지 적어 보자.

마음에서 일어나는 괴로움을 붙들고 있을 때
그 일이 당신에게 어떤 영향을 미쳤는지 적어 보자.

_____

_____

_____

_____

_____

당신이 자신의 반응에 휘말리지 않기로
선택한다면 어떻게 될까?

마음에 들지 않는 사건에 반응하는 자신을 발견했다면
이렇게 자문해 보자. "이게 마음을 닫을 만큼의 가치가 있을까?"

명상을 통해, 깨어 있는 의식을 통해, 그리고 의식적인 노력을 통해 에너지 중추를 계속 열어 두는 법을 배울 수 있다. 그저 긴장을 풀고 이완하기만 하면 된다. 마음을 닫아걸 만한 어떤 대상이 존재한다는 생각을 거부함으로써 말이다. 삶을 사랑한다면, 세상 어떤 일도 마음의 문을 닫아걸 만한 가치가 없다는 사실을 기억하라. 세상 그 어떤 일도 그럴 만한 가치는 없다.

짜증 나는 상황을 떠올려 보자.

짜증 나는 기분과 그 상황에서 떠오른 생각들을 적어 보자.

이런 감정과 생각은 긴장을 풀고 이완하라는 신호다.

이제 어떻게 하면 의식적으로 마음을 열어 두겠다고 선택할지

적어 보자. 혼란스럽고 마음이 자꾸 반응하는 상태에서도

긴장을 풀고 이완하니 어떠한가? 마음을 닫아 두었을 때보다

더 빨리 마음이 열리는 상태로 돌아갈 수 있는가?

어느 때 어떤 순간에 가슴이 열리면 우리는 사랑에 빠진다. 어느 때 무슨 일로든 가슴이 닫히면 사랑도 멈춘다. 가슴이 상처를 받으면 우리는 화를 내고, 이 모든 감정을 느끼지 않으려 하다 보면 공허해진다. 이런 온갖 일들이 가슴이 겪는 변화로 인해 일어난다. 가슴에서 일어나는 이 에너지 전환과 변화가 당신의 삶을 좌우한다.

사실을 말하자면 당신은 가슴이 아니다. 가슴이 겪는 일을 경험하는 자이다. 오늘은 긍정적인 감정과 부정적인 감정을 모두 포함해서 당신이 어떻게 가슴을 경험하는지 알아보자. 당신의 정체성이 가슴과 밀접하다는 걸 깨달았는가? 가슴의 감정이 생각과 행동에 영향을 미쳤는가?

알아차리는 연습을 하라.

그 연습을 하면서 가슴에서 어떤 에너지를 느꼈는지 적어 보자.

가슴의 에너지와 그 에너지의 온갖 변화를 경험하면서도

그것과 자신을 동일시하지 않을 수 있겠는가?

에너지의 명령에 따라 행동하지 않을 수 있겠는가?

가슴은 사실 이해하기 매우 쉽다. 그것은 하나의 에너지 중추, 곧 차크라다. 우리 몸에서 가장 강력하고 아름다운 에너지 중추 중 하나로 매일의 삶에 영향을 미친다. 에너지 중추란 우리의 몸 안에서 에너지가 집중되고, 에너지를 분배하고, 에너지가 흐르는 곳이다. 이런 에너지 흐름은 샥티, 영(spirit), 혹은 기(氣)라고 하는데 그것은 우리 삶에서 복잡하고도 미묘한 역할을 한다. 우리는 늘 가슴의 에너지를 느끼며 산다. 가슴이 사랑으로 가득할 때 어떠했는지 생각해 보라. 가슴에서 영감과 열정이 솟아날 때는 어떠했는지 생각해 보라. 가슴에 에너지가 가득 차서 자신감과 힘이 넘쳤을 때는 어떠했는지 생각해 보라.

가슴 차크라에 집중하며 명상해 보자. 눈을 감고 심장으로, 가슴 한복판으로 호흡해 보자. 숨을 쉴 때마다 팽창하는 가슴을 느껴 보라. 가슴에 집중한 채 명상하면서, 특별히 마음이 닫히지도 열리지도 않는 상태는 어떠한가?

하루를 보내며 언제 마음이 열리고 닫히는지 느껴 보자.

당신이 느끼는 감정을 써 보자.

예를 들어서 마음이 열려 있을 때는 영감이 솟아나고

열정적이고 감사하고 자유로운 기분이 드는가?

어떤 감정을 느끼든 그것은 일어났다가 사라진다는 걸 알아차리자.

가슴을 거쳐 가는 모든 감정을 경험할 수 있는가?

아니면 어떤 감정은 거부하고, 어떤 감정은 집착하는가?

매 순간 새로운 경험이 들어오고, 당신은 배우고 성장한다. 가슴과 마음은 확장되고, 당신은 아주 깊은 차원에서 건드려진다. 경험이 최고의 스승이라면 삶을 경험하는 것은 그 무엇과도 비교할 수 없다.

산다는 것은 지나가는 순간을 경험하고, 그다음 순간을 경험하고, 또 그다음 순간을 경험한다는 뜻이다. 온갖 경험이 당신을 거쳐 가게 될 것이다. 제대로 작동한다면 놀라운 시스템이다. 그렇게 매 순간을 경험하면서 살 수 있다면 당신은 완전히 깨어 있는 존재가 될 것이다. 깨달은 자들은 그렇게 '현재'에 산다. 그들은 현존하고, 삶도 현존하며, 삶 전체가 그들을 통과한다. 살면서 어떤 경험을 할 때마다 완전히 현존해서 그 경험이 당신 존재의 깊은 곳을 건드린다고 상상해 보자. 모든 순간이 신나고 감동적인 경험이 될 것이다. 왜냐하면 당신은 완전히 열려 있고, 삶은 당신을 관통해서 흐를 테니까.

누구나 살면서 가슴 깊은 곳이 건드려져 큰 감동을 받은 경험이 있다. 잠시 충만한 기분을 느꼈던 때를 떠올려 보자. 어쩌면 운전하다가 커브를 틀어 자홍색과 주황색으로 아름답게 물든 일몰을 마주한 순간일 수 있다. 그것은 지금까지 본 일몰 중에서 가장 아름다웠고, 당신은 경외감과 감사, 만족감으로 가슴이 벅찼다. 당신은 매 순간 그렇게 깊이 감동할 수 있다.

매 순간 그렇게 깊은 감동을 받는다면 어떨지 적어 보자.

당신은 폐가 숨을 쉬고, 두 다리로 걸을 수 있고, 새가 노래하고,

못된 사람이 당신에게 소리친다는 사실에도 가슴이 벅차다.

매 순간이 당신의 영혼을 건드리도록 내버려 둘 수 있겠는가?

악기의 소리는 귀로 들을 수 있지만 가슴의 소리는 느낌
으로만 알 수 있다. 악기의 소리가 느껴졌다면, 그건 그 소
리가 당신의 마음을 건드렸기 때문이다. 마음은 지극히 미
묘한 에너지로 만들어진 악기인 터라 그 소리를 음미할
줄 아는 사람은 드물다.

삼스카라(Samskara)는 막힌 상태, 어떤 사건을 흘려보내지 못하고 마음에 담아 두는 것을 말한다. 그 이후의 경험들은 당신을 통과하려고 하지만, 지나간 경험이 제대로 정리되지 못한 채 마음속에 남아 있다. 이제 삶은 당신의 주의를 끌기 위해 마음에 걸려 버린 이 사건과 경쟁해야 한다. 그러나 사건의 잔상은 얌전히 남아 있으려 하지 않는다. 당신은 그것을 끊임없이 떠올려서 생각하게 될 것이다. 이는 그 일을 마음속에서 내보내는 방법을 찾아내려는 시도이다. 당신이 저항한 탓에 그 사건은 마음에 걸려서 빠져나가지 못했고, 이제 당신은 문제를 안고 있다. 여러 생각들이 떠오르기 시작한다. 머릿속에서 생각이 꼬리에 꼬리를 물고 일어난다. 당신은 미쳐 버릴 것만 같다. 이 모든 마음의 소음은 그저 막혀 버린 에너지를 처리해서 밖으로 내보내려는 발버둥인 것이다.

당신의 거부감은 어떻게 나타나는가? 몸의 긴장으로? 아니면 부정적인 생각으로? 마음이 어떻게 반응하는지 알아차리자. 그 뒤를 따르는 생각들도 알아차리자.

당신이 그 생각에 어떻게 반응하는지 지켜보자. 당신이 어떤 일을 거부하면서 에너지가 막힐 때 어떤 행동이 뒤따르는가? 와인을 몇 잔 더 마시거나, 아이스크림을 한 그릇 더 먹거나, 밤늦게까지 텔레비전을 보고 싶은 기분이 들 수 있다. 말하지 않기로 마음먹었던 말을 하게 될 수도 있다.

에너지가 막힐 때 떠오르는 생각과 감정,
거기서 이어지는 행동을 순서대로 적어 보자.

인도의 전통적인 요가 철학에서는 삼스카라를 정리되지 않은 에너지 패턴이라고 설명한다. 이는 '인상,' 혹은 '각인'을 뜻하는 산스크리트어로 요가에서는 이를 우리 삶에 영향을 미치는 가장 중요한 영향력 중 하나라고 가르친다. 삼스카라는 막힌 상태, 하나의 걸림, 과거로부터 생겨난 잔상이다. 이 정리되지 못한 에너지 패턴은 결국 우리 삶을 지배하게 된다.

당신 안에 있는 정리되지 않은 에너지 패턴은 무엇인가?
사실 그걸 찾아내기는 아주 쉽다. 하루를 보내는 동안 당신에게
감정적인 반응을 끌어내는 게 무엇인지 알아차리기만 하면 된다.
사람들에게 관심과 사랑을 못 받는다고 느낄 때 상처받는가?
누가 날 비판할 때 방어적으로 되는가? 이렇게 예민한 부분들을
유년기까지 거슬러서 추적할 수 있는가?
가슴 깊은 곳에 잔상을 남긴 경험들을 그저 알아차리고
글로 적어 보자.

가슴을 막는 경험에는 두 가지가 있다. 어떤 에너지가 싫어서 그걸 밀어내려고 할 때, 혹은 어떤 에너지가 좋아서 그걸 계속 붙들어 두려고 할 때다. 두 경우 모두 그 에너지를 보내 주지 않는 것이다. 당신은 저항이나 집착으로 에너지의 흐름을 막음으로써 귀한 에너지를 낭비하고 있다.

사람에게는 누구나 싫어서 거부하는 경험과 좋아서 계속 붙잡아 두려는 경험이 있다. 초등학교 때 교실 앞에 나가서 발표하는 동안 민망했던 경험이 있고, 그래서 이제는 사람들 앞에서 발표할 때마다 긴장할 수 있다. 혹은 고등학교 때 매해 열리는 학예회에서 주인공을 맡았고, 그래서 아직도 사람들에게 그 일을 말하며 위대한 배우를 꿈꿀 수도 있다.

당신이 너무 불편해서 거부했던 경험은 무엇인가?

그걸 적어 보자. 아직도 그 일이 올라오려고 하는가?

아직도 그 일을 거부하고 있는가?

이미 끝나 버린 일에 집착하는 기분이 어떠한가?

이번에는 너무 즐거워서 영원히 계속되기를 바랐던 경험을 적어 보자.

무한한 영감, 무한한 사랑, 무한히 열린 마음. 이것이 건강한 가슴의 본연의 상태다.

이런 경지에 도달하려면 그저 살면서 마주하는 모든 경험이 당신을 통과해서 지나가도록 허락해야 한다. 전에 처리하지 못했던 묵은 에너지가 자꾸 올라온다면, 이제라도 그걸 놓아주자.

막혀 있던 묵은 에너지가 거부감을 일으키도록 허락하기보다는 그저 삶이 펼쳐지도록 내버려 두겠다고 마음먹자. 오늘 하루 당신을 자극했던 상황이나 사건을 적어 보자. 어쩌면 당신은 현재 상황에 자극을 받은 과거의 두려움이나 걱정에 매달리고 있는 것일 수 있다.

막힌 에너지나 내면의 불안을 의도적으로 알아차린 다음,

놓아줄 수 있겠는가? 어떤 에너지를 경험했고, 그걸 어떻게

알아차린 뒤에 놓아주었는가? 외부 상황과 자신의 반응을

거부하지 않는 기분이 어땠는가?

제대로 처리되지 못한 에너지가 올라오면 당연히 아프다. 그것은 고통과 함께 저장되어 있다가 고통과 함께 풀려날 것이다. 당신은 결정해야 한다. 그렇게 저장된 고통이 당신의 가슴을 막아 버리고 삶을 제한하도록 내버려 둘 것인지 말 것인지. 대안은 그 에너지가 건드려질 때 기꺼이 놓아주는 것이다. 잠시 아프겠지만 그러고 나면 끝이다.

과거에 저장된 고통이 다시 수면으로 올라올 때 어떤 기분인지 적어 보자. 불편한 경험을 피하거나 최소화하기 위해 주로 어떻게 하는지 적어 보자. 고통이 다시 올라오는 걸 피하려고 습관적으로 하는 행동이 있는가?

당신의 삶을 지배하는, 내면에 저장된 고통을 풀어 주고 거기에서 벗어나면 어떤 기분일지 상상해 보자.

그 보상은 영원히 열려 있는 가슴이다. 이제 밸브는 없다. 당신은 사랑 속에서 살고, 사랑은 당신을 먹이고 당신에게 힘을 준다. 그것이 열린 가슴이다. 그것이 애초에 가슴이라는 악기에 맡겨진 역할이다. 가슴이 연주할 수 있는 모든 음을 음미하라. 긴장을 풀고 이완하면 가슴이 정화되는 멋진 경험을 할 것이다. 상상할 수 있는 가장 높은 경지를 목표로 삼고 거기에서 눈을 떼지 마라. 넘어지면 그저 다시 일어나라. 아무런 문제도 없다. 에너지 흐름을 해방시키는 이 과정을 가고자 한다는 사실 자체가 당신이 얼마나 위대한 사람인지를 말해 준다. 당신은 그 경지에 다다를 것이다. 그저 계속 나아가라.

오늘 가슴이 연주하는 모든 음을 어떻게 음미했는지 적어 보자.
무엇이든 될 수 있다. 햇살을 즐겼을 수도 있고,
무슨 일로 짜증이 났을 수도 있다. 그런 다음에는 그것이 지나가게 두자.
내면의 에너지를 자유롭게 풀어 주면
삶이 얼마나 풍부하고 충만해질지 적어 보자.

가장 근원적인 에너지 흐름은 생존 본능이라는 것을 쉽게 알 수 있다. 진화의 긴 세월 동안 가장 단순한 유기체에서 가장 복잡한 생물에 이르기까지 자신의 생명을 지키기 위한 끝없는 몸부림이 있었다. 이 생존 본능은 고도로 진화된 우리의 협동적 사회 구조 속에서도 점진적인 변화를 거쳐 왔다. 대부분의 사람들은 더 이상 음식이나 물, 의복, 주거의 부족을 겪지 않는다. 또한 생명을 위협받는 물리적 위험을 무릅써야 할 필요도 없다. 그 결과, 우리를 보호하려는 에너지는 몸보다 마음을 보호하는 쪽으로 바뀌어 갔다. 이제 우리는 몸보다는 자신의 자아 관념을 보호해야 할 필요를 느낀다. 이제 우리의 중요한 싸움은 내면의 두려움과 불안, 파괴적인 행동 습관과의 싸움이지, 외부의 힘과의 싸움이 아니다.

당신이 지키고 보호하고 유지해야 할 필요를 느끼는

이미지는 무엇인가?

다른 사람들에게 똑똑한 사람 혹은 성공한 사람으로 보이고 싶은가?

강하거나 차분한 사람으로 보이고 싶은가?

그런 이미지를 위협하는 요소는 무엇인가?

당신의 그런 이미지가 위협받을 때 무슨 일이 일어나는가?

당신은 즉시 자신을 방어하는가? 두려움을 느끼는가?

마음속에 무엇이 떠오르든 다 받아 주면서 솔직하고 자유롭게 써 보자.

당신은 가슴을 닫고 심리적 보호막을 치는 방법을 정확히 알고 있다. 두려움을 일으키는 온갖 에너지를 너무 활짝 받아들였다가 상처 입지 않기 위해 에너지 중추를 닫는 법을 정확히 알고 있다.

에너지 중추를 닫고 자신을 보호할 때 당신은 취약한 부분에 껍질을 두르는 셈이다. 이 취약한 부분이 공격받은 것도 아닌데 보호해 줘야 할 필요성을 느낀다. 당신이 보호하는 것은 자신의 에고, 이미지이다.

오늘은 자신이 언제 방어적으로 행동하는지 알아차리자. 명심하라. 당신은 그 상황을 지켜볼 수 있다. 관찰자가 되어 반응하는 자신을 바라볼 수 있다.

_____

_____

_____

_____

이제 오늘 하루를 되돌아보자.

무슨 일이 있었는가?

어떤 일에 예민하게 반응했는가?

가슴 중추가 조이는 걸 느꼈는가?

그 상황을 생각하면 무슨 생각이 떠오르는가?

자신을 보호하기 위해 뭐라고 말했는가?

무엇을 보호했는가?

영혼이 성장하다 보면 자신을 보호하려고만 들면 결코 자유로 워질 수 없다는 사실을 깨닫는 단계가 온다. 단순한 사실이다. 당신은 두려움에 사로잡혀 집 안으로 들어가 문을 걸어 잠그고 블라인드를 모두 내린다. 이제 집 안은 캄캄하고, 당신은 햇볕을 쬐고 싶지만 그럴 수 없다. 그것은 불가능하다. 마음의 문을 닫고 자신을 보호한다면, 당신은 그 겁에 질려 불안정한 사람을 가슴속에 가두는 셈이다. 그렇게 해서는 결코 자유로워질 수 없다.

마음의 문을 여는 가장 쉬운 방법은 더 이상 자신을 보호하지 않는 것이다. 오늘 실험을 해 보자. 자신을 보호하거나 증명하려 하지 않고 하루를 보낼 수 있는지 지켜보자. 그렇게 하려면 자신의 말과 행동에 동기를 부여하는 에너지의 흐름을 극도로 예민하게 인식해야 한다.

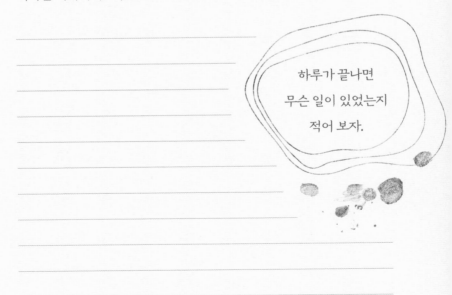

하루가 끝나면
무슨 일이 있었는지
적어 보자.

얼마나 많은 생각과 행동이 자신을 보호하거나

증명하고 싶다는 욕구에서 비롯되었는지 알아차렸는가?

그 욕구에 따라 행동하지 않기로 선택했을 때 무방비 상태로

노출된 기분이 들었는가? 아니면 평화로운 기분이 들었는가?

두려움과 보호의 제한된 에너지에서 해방될 가능성을 보았는가?

그렇게 된다면 어떨 것 같은가?

의식은 혼란스러운 일에 집중하는 경향이 있다. 내부의 혼란스러운 에너지도 예외가 아니다. 이 혼란한 에너지는 당신의 의식을 끌어당긴다. 하지만 순순히 끌려가서는 안 된다. 당신은 실제로 거기서 떨어져 나와 뒤로 물러설 힘을 가지고 있다.

내부에서 에너지가 움직일 때 거기에 휘말릴 필요는 없다. 예를 들어, 어떤 생각이 떠오를 때 꼭 그걸 받아들일 필요는 없다. 자유로워지고 싶다면 에너지 흐름이 변하는 걸 느낄 때마다 뒤로 물러나서 긴장을 풀어라. 변화와 싸우지 말고, 그걸 바꾸려고도 하지 말고, 자책하지도 마라.

우리의 생각은 종종 내면의 소란스러운 에너지에 의해 조종된다. 오늘은 마음속에 그런 생각이 떠오르는 걸 지켜보자. (예를 들면, "어제 _____ 했더라면 좋았을 텐데." 혹은 "왜 회사에서 _____가 나한테 그런 말을 했지?")
어떤 생각이 떠오를 때 에너지의 동요가 일어나는지 알아차리자. 이제 숨을 깊이 들이쉬고 긴장을 푼 다음, 지나가는 생각과 소동을 지켜보자.

여러 생각과 내부의 혼란에서
뒤로 물러나 긴장을 풀 때 무슨 일이
벌어지는가? 혼란스러운 생각과 감정을 느끼고도
아무렇지 않은가? 내부의 혼란이 그저 에너지일 뿐
당신을 해칠 수 없다는 걸 깨달았는가?
내부의 소란을 두려워하지 않을 때
거기서 자유로워진다.

처음에는 그냥 지나쳐 가던 생각과 감정이 결국에는 삶의 중심이 되어 버린다. 놓아 보내지 않으면 결국 통제를 완전히 벗어나게 된다.

지혜로운 사람은 에너지가 방어 모드로 바뀌려 할 때마다 그걸 놓아줄 수 있도록 마음의 중심에 머문다. 에너지가 바뀌고 의식이 그쪽으로 끌려가는 걸 느끼는 순간에 긴장을 풀고 놓아준다. 놓아준다는 것은 그 에너지 속으로 뛰어들지 않고 뒤로 빠진다는 뜻이다.

오늘은 에너지가 방어 모드로 변하는 때가 언제인지 알아차려 보자. 몸이 그 변화에 어떻게 반응하는가? 예를 들어, 어깨가 긴장하거나 배가 아픈가?

생각은 어떻게 바뀌는가?

어떤 생각이 떠오르는지 알아차리자.

방어 모드가 발동될 때
긴장을 풀고 놓아주면서
중심으로 돌아가는 연습을 하자.
알아차리고, 긴장을 풀고,
다시 중심으로 돌아간 경험을 적어 보자.
어떤 방법이 효과적이었고,
무엇이 어려웠는지도 포함해서.

과학은 근원적인 에너지장이 원자를 만들고,
원자가 합쳐져서 분자가 되고 결국에는
물질 우주 전체가 만들어지는 과정을 밝혀냈다.
우리 내면에서도 이와 같은 일이 일어난다.

우리는 일상의 무의미하고 사소한 일들 때문에 괴로워하곤 한다. 예컨대 신호등 앞에서 누군가 당신에게 빨리 가라고 경적을 울린다. 이렇게 사소한 일에도 우리의 에너지는 변한다. 그 변화를 감지하는 순간, 어깨에서 힘을 빼고 가슴 주위를 이완하라. 에너지가 움직이기 시작하는 순간 그저 긴장을 풀고 놓아주면 된다. 감정을 놓아주고, 이 짜증 나는 느낌에서 물러나는 놀이를 즐겨라.

오늘은 어떤 일로 인해 마음이 불편해지면 그 상황에서 깊이 이완하는 연습을 해 보자. 부정적인 생각이 떠오르고, 마음이 계속 혼란스러운 상황에서도 긴장을 풀 수 있는가? 혼란스러운 상황은 앞에 펼쳐져 있고, 당신은 뒤로 물러서는 듯한 기분이 들 것이다.

혼란스러운 상황에서 뒤로 물러서는 기분이 어떤가?

불편한 마음을 알아차리고, 긴장을 풀면서 놓아주고,
불편한 마음이 지나가도록 했던 이번 경험에 대해 적어 보자.

당신의 내면 깊은 곳에 의식이 에너지를 접하는 자리가 있다. 그곳이 당신이 놓아 보내기 연습을 할 곳이다. 그 자리에서부터 시작하라. 매일 매 순간, 한 해 또 두 해 그렇게 놓아 보내고 나면 어느새 거기가 당신이 살 곳이 된다. 어떤 것도 당신의 의식의 자리를 빼앗지 못할 것이다. 당신은 마침내 거기에 머무는 법을 터득할 것이다. 이것을 여러 해 동안 실천하여 아무리 깊은 상처와 고통도 놓아주는 법을 배우고 나면 당신은 위대한 경지에 이를 것이다. 당신은 저급한 자아가 끊임없이 끌어당기는 고질적인 습관에서 벗어나게 된다. 그렇게 되면 진정한 존재의 근원이자 본성인 순수 의식을 마음껏 탐사할 수 있을 것이다.

여기까지 오는 동안 당신 내면에 있는 의식과 에너지의 접점을 더 잘 의식할 수 있는 여러 방법을 탐색해 보았다. 그 연습을 마치고 나니 내면에서 저급한 자아가 끌어당기는 걸 알아차릴 수 있는가? 마음이 혼란스럽거나 차단될 때 일어났던 생각, 감정, 몸의 감각, 다른 신호들을 생각해 보자.

마음속 혼란을
놓아 보낸 뒤에
무엇을 배웠는지
적어 보자.

변화는 신나는 일로 볼 수도 있고,
두려운 일로 볼 수도 있다.
하지만 우리가 어떻게 보든지 간에 변화야말로
삶의 속성이라는 사실을 받아들여야 한다.

Part 3

자기를 놓아 보내기

참나의 탐사는 각자 삶의 전개와 불가분하게 얽혀 있다. 삶에서 일어나게 마련인 온갖 굴곡은 개인의 성장을 가져오거나 아니면 두려움을 일궈 놓는다. 둘 중 어느 쪽이 지배적이 될지는 변화를 대하는 우리의 태도에 전적으로 달려 있다. 우리는 변화를 신나는 일로 볼 수도 있고, 두려운 일로 볼 수도 있다. 하지만 어떻게 보든지 간에 변화야말로 삶의 속성 그 자체라는 사실을 받아들여야 한다. 겁이 많은 사람이라면 변화를 좋아하지 않을 것이다. 그래서 예측 가능하고, 통제할 수 있고, 정의 내릴 수 있는 세계를 자기 주변에다 구축하려고 애쓸 것이다. 자신의 두려움이 자극받지 않는 환경을 만들려 할 것이다. 두려움은 자신을 경험하고 싶어 하지 않는다. 실은 두려움도 자신을 두려워한다. 그래서 우리는 두려움을 느끼지 않으려고 마음을 이용해 삶을 조종하는 것이다.

지금 당신에게 거부감과 걱정을 불러일으키는 삶의 변화가 무엇인지(크든 작든) 적어 보자. 당신은 그 변화를 어떻게 생각하는가? 그 변화가 일어나는 걸 막으려고 하는가? 아니면 다 괜찮아질 거라고 자신을 설득하고 있는가? 변화에 어떻게 대처할지 결정하기 전에 그냥 변화로 인한 불편함을 느끼도록 내버려 둔다면 어떻게 될까?

사람들은 두려움도 하나의 대상이라는 사실을 이해하지 못한다. 두려움은 이 우주에서 당신이 경험할 수 있는 무수한 대상 중 하나일 뿐이다. 당신은 두려움에 대해 둘 중 하나를 선택할 수 있다. 자신이 그것을 가지고 있음을 알아차리고 두려움을 놓아주거나, 아니면 그것을 계속 간직한 채 그것으로부터 숨으려고 하거나.

누구에게나 격하게 피하는 내면의 두려움이 있다. 현재 당신을 힘들게 하는 두려움에 주목하자. 혹은 오랫동안 당신을 혼란스럽게 했던 습관적 두려움이 무엇인지 떠올려 보자.

그 두려움을 느끼지 않으려고 주로 했던 일이 무엇인지 써 보자. 두려움을 피하려고 어떤 방법을 썼나? 그 방법이 얼마나 효과가 있었는가? 두려움이 영원히 사라졌는가? 아니면 일시적으로만 사라졌는가?

이제 두려움을 피하지 않고 정면으로 돌파하는 게
어떤 기분인지 써 보자. 두려움을 마주하고 놓아주기 위해
어떤 방법을 썼는가? 얼마나 효과가 있었는가?

_____

_____

_____

_____

_____

_____

_____

_____

_____

_____

_____

_____

_____

_____

_____

영적으로 성장해 가는 동안, 당신은 자신을 문제로부터 보호하려는 노력이 사실은 더 많은 문제를 일으킨다는 것을 깨닫게 된다. 사람과 환경, 상황이 당신을 괴롭히지 못하도록 통제하다 보면 오히려 삶이 당신을 공격해 오는 것처럼 느끼게 될 것이다. 사는 게 투쟁이고, 하루하루가 버겁다. 모든 것과 싸우고 모든 것을 통제해야 하기 때문이다. 늘 경쟁하고 질투하고 두려울 것이다. 언제든, 누구든 당신을 괴롭힐 것만 같은 느낌이 들 것이다.

오늘은 마음속 독백이 어떤 일은 반드시 이렇게 되어야만 하고,
어떤 일은 절대 일어나면 안 된다는 쪽으로 흘러갈 때
그걸 알아차리자.
이 초조한 생각들에 대해 알아낸 사실을 써 보자.

그다음에는 이 초조한 생각을
멈추게 한 생각을 적어 보자.

문제를 피하려다가 끝없는 생각과 계획 속으로 빠져드는 걸 알아차리자. 문제와 정면 대결을 피하려는 꼼수다. 마음은 매번 자신을 괴롭히는 것에 꼬리표를 붙이고 통제하려고 한다. 그것이 두려움 그 자체든, 두려움을 거부하는 데서 비롯된 불안이든 간에. 그럴 때 통제하려는 노력을 놓아 버리고 마음속에서 괴로움이 어떻게 날뛰는지 지켜보면 어떨까?

그렇게 해 보고 알아낸 사실을 적어 보자.

참나 안에 머무르면 마음이 약해질 때조차도
나의 내적 존재가 얼마나 강한지 경험하게 된다.
그것이 이 여정의 본질이다. 영적 삶의 본질이다.
내면에서 혼란을 느껴도 된다는 걸 터득하고 나면,
또한 내면의 혼란이 더는 내 의식을 방해할 수 없다는 걸
깨닫고 나면 비로소 자유로워진다.

가능한 대안은 삶과 싸우지 않기로 결심하는 것이다. 삶이 내 마음대로 되는 것이 아님을 깨닫고 받아들이는 것이다. 삶은 끊임없이 변화해 간다. 그것을 통제하려고 해서는 결코 온전히 살 수 없다. 그러면 삶을 사는 게 아니라 삶을 두려워하게 된다.

오늘은 무슨 일이 일어나든 받아들이기로 마음먹자. 그런 다음, 당신 안에 두려움을 불러일으키는 사건이 무엇인지 알아차리자. 그 사건은 내가 통제할 수 없는 것처럼 느껴질 테고, 당신은 그 일을 통제하고 싶어질 것이다. 무언가가 당신 안에 있는 두려움을 건드렸을 때 어떤 심정인지 주의를 기울이자. 마음이 떠들어 대는가? 몸 안에서 막힌 에너지가 올라오면서 요동치는가?

이제 두려움을 느껴도 괜찮다고, 두려움을 느낄 때 아무것도 안 해도 된다고 내게 말해 주자. 어떤 변화가 일어나는가?

무언가가 내 안의 두려움을 건드렸을 때 어떠했는지 써 보자.
또 두려움이 삶 속에 존재하면서 돌아다니도록 내버려 두니
어떠했는가?

당신 안에 걸려서 묻혀 있는 것들이 두려움의 뿌리다. 두려움은 에너지의 흐름이 막혔을 때 생긴다. 에너지가 막히면 가슴으로 올라와 양분을 주지 못한다. 그래서 가슴이 약해진다. 가슴이 약해지면 낮은 파동에 민감해지는데, 모든 파동 중에서 가장 낮은 것이 두려움이다.

당신이 지금 느끼는 두려움, 혹은 두려움에서 비롯된 감정(분노라든가 질투, 시기)은 무엇인가?

_____

과거에 당신을 괴롭히고 에너지의 흐름을 막는 바람에
지금의 이 두려움으로 나타나게 된 경험이 무엇인지 적어 보자.

_____

_____

_____

_____

_____

_____

_____

_____

_____

_____

_____

영적 진화의 목적은 두려움을 일으키는 이 막힘을 제거하는 것이다. 그 반대는 두려움을 느끼지 않도록 막힌 그것을 감싸고 보호하는 것이다. 하지만 그렇게 하려면 내면의 문제를 피하기 위해 만사를 통제해야만 할 것이다. 우리가 어쩌다 내면의 문제를 피하는 게 똑똑한 해결책이라고 믿게 되었는지는 이해하기 어렵지만, 아무튼 모두 이 방법을 택하고 있다. 모든 사람이 "난 내 마음속 응어리를 지키기 위해서라면 무슨 짓이든 할 거야. 네가 내 심기를 건드리면 난 날 방어할 거야. 너한테 소리치고, 네가 한 말을 취소하게 할 거야. 내 안의 불안을 조금이라도 건드렸다가는 아주 후회하게 만들어 주겠어"라고 말한다. 다시 말해 누군가가 내 두려움을 건드리면, 우리는 상대가 잘못을 저질렀다고 생각한다. 그래서 상대가 다시는 그런 짓을 못 하게 할 수 있는 모든 조치를 다 한다. 우선 자신을 방어하고, 그다음에는 자신을 감싸고 보호한다. 괴로움을 느끼지 않게, 할 수 있는 모든 일을 다 한다.

당신을 힘들게 하는 문제를 하나만 적어 보자.

당신이 '모욕'으로 받아들이는 것이 무엇인지 적어 보자.

누가, 언제, 무엇을 어떻게 해서 당신을 모욕했다고 생각하는가?

이제 그 문제를 다른 시각으로 적어 보자. "왜 내가 그 일 때문에 괴로워했을까?"라고 자문해 보자. 그 일로 인해 올라온 두려움이나 수치심 혹은 오래된 슬픔을 억눌렀는가? 참나는 힘든 감정을 얼마든지 지켜볼 수 있다는 사실을 알아차리자.

_____

_____

_____

_____

_____

_____

_____

_____

이제 관찰자의 입장으로 돌아가 고통을 바라보고, 그 고통을 어떻게든 막으려고 하는 마음도 바라보자. 자신을 보호하고 싶은 욕구를 견뎌 내고 억눌렀던 감정들을 놓아줄 수 있겠는가?

_____

_____

_____

_____

_____

마침내 당신은 가슴속 응어리를 풀고 싶다는 걸 깨달을 정도로 현명해진다. 누가 그걸 건드리느냐는 문제 되지 않는다. 어떤 상황에서 건드려지느냐도 상관없다. 그것이 말이 되든 안 되든, 정당해 보이든 아니든 그것도 문제 되지 않는다. 그러나 불행히도 우리들 대부분은 그렇게 지혜롭지 못하다. 실제로 우리는 마음속 응어리로부터 해방되려고 하기는커녕 그걸 계속 품고 있을 핑계를 만들어 내려고 애쓴다.

억눌린 감정에 휘둘려 사는 게 날 행복하게 해 주는가?
내 삶에 영향을 미치는 그런 요소가 없으면 어떻게 될까?
내 기분과 행동은 어떻게 달라질까? 그걸 적어 보자.

진정으로 영적 성장을 원한다면 가슴에 응어리를 쌓아 두는 것이 곧 자신을 함정에 빠뜨리는 일임을 깨닫게 될 것이다. 어떤 대가를 치러서라도 그걸 풀어내고 싶을 것이다. 또한 사실은 삶이 당신을 돕고 있었음을 깨닫게 될 것이다. 삶은 당신의 성장을 자극해 줄 사람과 상황으로 당신을 둘러싼다. 거기서 누가 옳고 그른지 당신이 판단할 필요가 없다. 다른 사람의 문제를 내가 걱정할 필요가 없다. 당신은 그저 어떤 상황에서든지 기꺼이 가슴을 활짝 열고, 정화의 과정이 일어나도록 수용하기만 하면 된다.

지금 날 힘들게 하는 상황은 무엇인가? 그 상황을 통해 내 안에서 건드려진 응어리에 대해 무엇을 알게 되었는가? 성장할 수 있는 기회는 어디에 있는가? 다시 말해 삶이 내게 내 안에 억눌린 감정을 관찰하고 그 너머로 나아갈 수 있는 기회를 주는 곳은 어디인가?

당신을 아래로 끌어내리는 응어리는 주기적으로 머리를 쳐들 것이다. 그럴 때마다 놓아 보내라. 그저 고통이 가슴으로 올라와서 지나가게 하라. 그렇게 하면 그것은 지나갈 것이다. 당신이 진정으로 진실을 추구하는 사람이라면 그때마다 그것을 놓아 보낼 수 있을 것이다. 이것이 이 여정의 시작이요 끝이다. 자신을 비우는 과정에 자신을 바치는 것이다. 이것을 연습하다 보면 놓아 보내기라는 과정의 미묘한 법칙을 터득하게 될 것이다.

놓아줄 때마다 내면의 응어리는 점점 줄어든다. 한꺼번에 전부 다 풀리지는 않을지라도 계속 연습하다 보면 시간이 흘러 다 사라질 것이다. 오늘은 응어리가 올라올 때 놓아주는 연습을 하자. 고통을 지켜보고, 허락하고, 지나가게 하자. 놓아주는 데 가장 효과적인 방법을 골라보자. 어쩌면 괴로운 순간에 그 감정을 완전히 받아들이거나 연민을 발휘하는 것일 수도 있다.

하루가 끝나면 오늘의 경험을 적어 보자.
오늘 당신이 항복했던 막힌 에너지는 무엇이었는가?

_____

_____

_____

_____

_____

그 에너지를 어떻게 놓아주었는가?

그 순간에 그 경험을 성장할 수 있는 기회로 볼 수 있었는가?

먼저 풀어줘야 할 응어리가 당신 안에 있음을 알아야 한다. 그 다음에는 그 응어리가 올라오는 걸 알아차리는 자인 당신은 그 경험과 별개의 존재임을 깨달아야 한다. 당신은 그 경험을 알아차리고 인식하는 자이다. 이런 중심 잡힌 인식이 관찰자의 자리, 참나의 자리다.

가슴이 건드려지면 괴로운 감정이 올라오는 걸 알아차리면서 자신이 상처받았음을 인식하자. 그러고는 이렇게 자문해 보자. "이걸 알아차리는 사람은 누구인가?" 질문에 답하지 말고, 그저 내 안에서 답을 느껴 보라.

괴로워하는 자가 아닌
괴로움을 경험하는 자가 된 기분이 어떠한가?

놓아 보내지 않으면 가슴속에서 건드려지는 에너지가 마치 자석처럼 작용한다는 걸 알게 될 것이다. 그것은 당신의 의식을 끌어당기는 아주 강력한 인력이다. 다음 순간에 당신은 자신이 거기에 없음을 깨닫게 된다. 당신은 그 괴로움을 처음 알아차렸을 때의 인식 상태를 더 이상 유지하지 못한다. 가슴이 반응하기 시작하는 것을 지켜보던 객관적 인식의 자리를 떠나서 가슴에서 변화하는 에너지 속으로 빨려 들어가게 된다. 시간이 지난 후에야 제자리로 돌아와 자신이 거기에 없었음을, 가슴속 응어리에 완전히 정신이 나갔었음을 깨닫게 된다. 그러고는 자신이 후회하게 될 말이나 행동을 안 했기만을 바란다.

최근에 마음이 괴롭거나 불편했던 때를 떠올려 보자. 마음속 응어리에 얼마나 오랫동안 빠져 있었는가? 자신이 정신이 나갔었다는 걸 언제 처음 알아차렸는가? 다시 정신을 차리고 마음의 중심을 잡기가 힘들었는가? 이제 와서 돌이켜 보면 처음 괴로운 마음이 올라왔을 때 그 감정을 더 잘 놓아줄 수 있었을까?

의식은 언제나 부딪혀서 아픈 발가락이나 시끄러운 소리, 마음의 상처와 같이 가장 정신 사나운 것에 끌린다. 외부 세계에서뿐 아니라 내면에서도 마찬가지다. "갑자기 큰소리가 나서 주의를 빼앗겼죠." 하는 말이 바로 그런 뜻이다. 큰소리가 당신의 의식을 끌어당긴 것이다. 마음속에 막혀 있는 응어리가 건드려질 때도 이와 똑같은 끌어당김이 발생한다. 의식은 마음을 불편하게 하는 근원으로 끌려간다.

다음에 의식이 또 마음속에서 일어나는 괴로움에 끌려가면 그 불편한 마음을 지켜보라. 어떤 생각이 떠오르는가? 에너지에 어떤 변화가 일어나는가? 이제 다시 의식의 자리에 앉아 내면이 아닌 외부에서 벌어지는 일들을 지켜보라. 내면의 괴로움에 너무 빠져들지 않도록 외부의 무언가에 집중해 보자.

의식의 자리에 앉아 있으면 당신에게는 내면에서나 외부에서
자신이 선택한 대상에 집중할 수 있는 선택권이 있다.
다음에 또 마음이 괴롭다면 이걸 실험해 보라.

막혀 있던 에너지는 일단 건드려지면 갈 데까지 가야 한다. 그걸 놓아주지 않으면 당신이 그 속으로 말려든다. 당신은 더 이상 자유롭지 않고 그 에너지에 붙잡힌 신세다. 한번 비교적 명료한 자리에서 떨어지면 당신은 혼란스러운 에너지의 손아귀에서 놀아나게 된다. 이것이 추락의 속성이다. 이렇게 괴로운 상태에 있을 때 흔히 하는 행동은 사태를 바로잡아 보려고 애쓰는 것이다.

최근 괴로운 상태에
푹 빠졌던 때가 언제인가?
그때 어떤 말이나
행동을 했는가?

그 상태에서 친구나 가족,
동료에게 어떤 식으로 말했는가?
괴로운 마음을 놓아주지 않으면
갈 데까지 간다는 사실을 알고 나니
다음에는 다르게 행동하고 싶은
마음이 드는가?

추락하지 마라. 놓아 보내라. 그 대상이 무엇이든지 놓아 보내라. 큰 것일수록 놓아 보냈을 때의 보상도 크다. 그렇지 않으면 더 심하게 추락한다. 이것은 흑과 백만큼이나 분명하다. 놓아 보내든지 추락하든지 둘 중 하나다. 중간은 없다. 그러니 마음속 응어리와 괴로움을 이 여정의 연료로 삼아라. 당신의 발목을 붙잡던 것이 도리어 당신을 상승하게 해 주는 강력한 힘이 될 수 있다. 당신은 그저 기꺼이 상승하겠다는 마음만 먹으면 된다.

의식의 중심이 부정적인 에너지에 끌리기 시작하는 순간에 그걸 알아차려라. 부정적인 생각이 떠오르거나 당신이 싫어하는 대상에 집중한다면 이는 의식의 중심이 변하고 있다는 단서다. 직장을 그만두거나, 배우자와 통화 중에 전화를 확 끊어 버리거나 문을 쾅 닫고 싶은가? 이 모두가 놓아주라는 신호다.

마음속 괴로움이 당신의 의식을 자석처럼 끌어당기는 걸
어떻게 알아차렸는지, 그걸 알아차릴 수 있었는지 없었는지 적어 보자.

놓아줄 수 있었는가?
빨리 놓아주었는가,
아니면 천천히 놓아주었는가?
완전히 놓아주었는가,
아니면 일부만 놓아주었는가?

하지만 마음속에 자신을 괴롭히는 무언가가 있다면 언젠가는 결단을 내려야 한다. 괴로운 감정을 피하기 위해 밖으로 나돌며 고통을 적당히 무마할 수도 있지만, 그냥 가시를 빼 버리고 평생을 거기에 매여 사는 삶에서 벗어날 수도 있다.

당신은 얼마든지 괴로움의 근본 원인을 제거할 수 있다. 자신의 능력을 의심하지 마라. 근본 원인은 완전히 사라질 수 있다. 내면을 깊이 들여다보라. 자기 존재의 중심을 바라보면서 이제부터는 자신의 가장 약한 부분을 삶의 중심에 두지 않겠다고 결심하라. 당신은 거기서 해방되고 싶다. 당신이 사람들과 이야기하고 싶은 이유는 순수한 호기심 때문이지 외로움 때문이 아니다. 사람들과 친해지고 싶은 이유는 정말로 그들을 좋아하기 때문이지 그들이 당신을 좋아해 주길 바라서가 아니다. 사랑하고 싶은 이유는 상대를 진심으로 사랑하기 때문이지 내면의 문제를 피하고 싶어서가 아니다. 어떻게 해야 자유로워질 수 있을까? 가장 깊은 의미에서 말하자면, 자신을 발견해야 비로소 자유로워진다.

몇 분 동안 당신이 빼내려고 애쓰고 있는 내면의 가시가 무엇인지 인정하자. 이 가시와 연관된 생각들을 알아차리자. ("내가 정말로 그런 말을 했다니 믿을 수가 없어. 너무 어리석었어. 이렇게 시간이 흘렀는데도 여전히 그 사람들을 다시 볼 면목이 없어.") 그런 생각에 몸이 어떻게 반응하는지 알아차리자. 몸이 긴장하는가? 가슴이 철렁 내려앉는가? 떠오르는 생각과 몸의 반응을 알아차리는 동안 심호흡을 다섯 번 하면서 숨을 들이쉬고 내쉬자. 이런 내면의 괴로움이 곧 당신은 아니며, 이것이 삶의 중심이 될 필요도 없다.

다음의 질문을 생각한 뒤에 적어 보자.

이걸 바라보는 자는 누구인가? 이 감정을 지켜보는 자는 누구인가?

내면의 가시와 자신을 동일시하지 않음으로써

자신이 자유로워질 가능성이 보이는가?

진정으로 자유로워지기 위해 꼭 필요한 조건은
더는 고통받지 않겠다고 결심하는 것이다.
이제는 삶을 즐기고 싶고, 스트레스와 내면의 고통
혹은 두려움에 시달릴 이유가 없다는 사실을
분명히 해야 한다.

마음만 먹으면 그냥 괴로움이 올라오게 해서 놓아 보낼 수 있다. 마음속 가시란 그저 과거에 막힌 에너지일 뿐이므로 놓아줄 수 있다. 문제는 당신이 그 가시를 빼낼 수 있는 상황을 전적으로 회피하거나, 자신을 보호한다는 미명하에 가시를 더 깊숙이 밀어 넣는다는 것이다.

오늘은 괴로운 마음이 올라오도록 내버려 두자. 괴로움이 올라올 때 제일 먼저 어떻게 반응하는가? 어떻게든 그 감정을 피하려고 하는가? 피하지 말고 그 감정을 지켜보며 감정이 들어올 공간을 내주자.

괴로움을 놓아줄 때 어떻게 되는지 써 보자.
이 전반적인 경험이 어떤 느낌인가?

허전한 마음은 하나의 대상이다. 당신이 아니라 당신이 느끼는 감정이다. 하지만 누가 그걸 느끼는가? 그것을 알아차리는 자가 누구인지 알아차리는 것이 당신의 탈출구이다.

허전한 마음이 올라올 때 무언가를 먹거나, 누군가에게 전화하거나, 이 감정을 가라앉혀 줄 무언가를 하는 것 외에 어떤 해결책이 있을까? 자신이 그 허전한 마음을 인식하고 있음을 알아차리는 것이다.
괴로운 마음이 올라오도록 허락할 때 마음속에서 어떤 고통이 일어나는가? 외로움이나 수치심 혹은 걱정인가?

그런 고통이 느껴지면 이렇게 자문하라.

"이걸 알아차리는 자는 누구인가?" 그걸 알아차린 자리로

다시 느긋하게 돌아가라. 당신이 고통을 느끼는 자임을

알아차리는 게 어떤 기분인지 적어 보자.

그걸 알아차린 마음으로 다시 돌아가 쉴 수 있겠는가?

알아차리는 자는 고통에서 완전히 벗어난다.

알아차리는 자는 이미 자유롭다. 이런 에너지들로부터 해방되고 싶다면 그것을 속에다 감추지 말고 당신을 통과하게 해야만 한다.

어릴 때부터 당신 마음속에는 에너지가 들어 있다. 당신이 그 에너지 안에서 살고 있음을, 그리고 그 에너지 안에는 당신 말고도 예민한 사람이 하나 들어 있음을 깨닫자. 당신의 예민한 부분이 괴로워하는 걸 그저 지켜보라. 그 부분이 질투와 욕구와 두려움을 느끼는 걸 바라보라. 이런 감정은 인간 본성의 일부일 뿐이다. 주의를 기울인다면 그런 감정이 곧 자신이 아님을 깨달을 것이다. 그건 그저 당신이 경험하고 느끼는 대상일 뿐이다. 당신은 그 모든 걸 인식하는 내면의 존재다. 마음의 중심을 잘 잡는다면 힘든 경험조차도 감사하고 존중하는 법을 터득할 수 있다.

당신 안에 존재하는 예민한 사람을 알아차렸는가? 의식 안에 머물면서 측은지심으로 당신 안의 그 사람을 일으켜 세울 수 있다. 당신 안에 예민한 부분과 감정이 존재하도록 내버려 두는 연습을 하라. 그런 다음, 그 부분을 놓아주려고 노력하자. 단, 한껏 예민한 이 사람은 당신이 인식하는 대상이라는 사실을 이해해야 한다. 저급한 자아를 놓아주면 그 자아의 에너지가 진정한 자아와 통합된다.

이런 예민함이 어떻게 지나가도록 했는지 적어 보자.
그것을 존중하고 사랑하고 놓아주자.
예민함이 당신을 통과해서 지나가고, 더는 예민함과 자신을
동일시하지 않으니 어떤 기분이 드는가?

당신은 외로움에 빠지거나 외로움에 저항하지 않고서도 지극히 인간적인 경지를 경험할 수 있다. 자신이 무언가를 인식하고 있음을 알아차릴 수 있고, 외로움을 느끼는 것이 어떤 변화를 가져오는지를 그저 지켜볼 수 있다. 자세가 변했는가? 호흡이 느려지거나 빨라졌는가? 외로움이 당신을 지나갈 수 있도록 공간을 내주니 어떻게 되었는가? 이 모든 것을 탐색하는 자가 되어라. 그것을 지켜본 다음, 보내 주어라. 감정 안에 빠지지 않으면 그 경험은 금방 지나가고 다른 감정이 찾아올 것이다. 그 모든 걸 그저 즐겨라. 그렇게 할 수 있다면 당신은 해방될 것이고, 내면에서 순수한 에너지의 세계가 열릴 것이다.

오늘은 당신의 마음속 가시(삼스카라)가 건드려졌을 때
어떤 일이 일어나는지 지켜보라. 마음을 활짝 열고 측은지심으로 그저
자신의 반응을 지켜보라. 그 모든 걸 허용하고, 가시를 받아들이는 게
어떤 일인지 탐색하라. 이 경험을 적어 보자.

참나 안에 머무를수록 이전에는 한 번도 경험하지 못했던 에너지를 더 많이 느끼게 될 것이다. 그 에너지는 당신이 마음과 감정을 경험하는 곳인 앞쪽보다는 뒤쪽에서 올라온다. 자신이 주인공인 통속극에 빠지지 않고, 대신 인식의 자리에 편안히 앉아 있으면 마음 깊은 곳에서 올라오는 이 에너지의 흐름이 느껴질 것이다. 이 에너지의 흐름은 샥티라고 한다. 영(靈)이라고도 불린다. 내부의 혼란과 어울리지 않고 참나와 어울릴 때 경험하는 현상이다. 외로움을 없앨 필요는 없다. 그저 거기에 휩쓸리지만 않으면 된다. 외로움 역시 자동차나 풀과 별과 마찬가지로 우주의 온갖 사물 중 하나일 뿐이다. 당신과 상관없는 것이다. 그저 놓아 보내면 된다. 그것이 참나가 하는 일이다.

당신 안에서 고차원의 에너지가 솟구쳤던 때를 떠올려 보자. 아마 첫 아이를 출산했거나 동경하는 누군가가 당신에게 관심을 보였을 때일 것이다. 어떤 상황에서 고차원의 에너지가 올라왔는가? 마음과 감정을 경험했을 때와 그런 에너지의 흐름을 경험했을 때가 어떻게 달랐는가? 그 에너지를 어떻게 설명하겠는가?

참나 안에 머물러 있으면 당신은 가슴이 연약하게 느껴질 때조차도 강인한 내적 존재의 힘을 경험하게 된다. 이것이 이 여정의 본질이다. 영적 삶의 본질이다. 내면의 혼란을 느껴도 괜찮다는 사실, 또한 그 혼란이 당신의 의식의 자리를 흔들어 놓을 수 없다는 사실을 깨달으면 당신은 자유로워질 것이다. 배후로부터 나오는 내적 에너지의 흐름이 당신을 지탱해 줄 것이다. 이 내적 흐름의 황홀함을 맛보고 나면 이 세상을 유유히 걸어 다닐 수 있고, 세상이 결코 당신을 건드리지 못할 것이다. 이것이 자유로운 존재가 되는 법이다. 당신은 세상을 초월한다.

어떻게 하면 괴로움이 일어났다가 사라지게 두면서 매일 유유히 살아나갈 수 있을지 생각해 보자. 괴로움을 그냥 놓아줘도 된다는 걸 알고 나니 기분이 어떤가?

괴로웠던 경험과 화해하고 나니 어떤지 적어 보자.
개인적 괴로움이라는 얕은 수심에서 벗어나
깊은 에너지 흐름 속에서 살아갈 가능성이 보이는가?

우리는 짊어질 필요가 없는 짐을 매일 짊어지고 산다. 우리가 부족한 사람일까 봐 혹은 실패할까 봐 두려워한다. 불안과 초조와 자의식에 시달린다. 사람들이 나를 비난하고 이용하고 더는 사랑하지 않을까 두려워한다. 이 모든 것이 엄청난 짐이 되어 우리를 짓누른다. 마음을 터놓고 서로 아끼는 관계를 맺으려 애쓰는 동안에도, 자신을 표현하고 성공하려고 애쓰는 동안에도 우리는 늘 무거운 마음의 짐을 지고 있다. 그것은 언젠가 고통, 고뇌, 슬픔을 겪을지 모른다는 두려움이다. 매일 우리는 그것을 느끼고 있거나, 그것을 느끼지 않도록 자신을 보호한다. 그 두려움은 너무도 큰 영향력을 발휘하는지라 우리 삶의 모든 것이 거기에 지배당한다는 사실조차 깨닫지 못한다.

우리 마음속에는 거절당하고 실패할지 모른다는 두려움이 깔려 있다.
우리가 이 두려움에 얼마나 지배당하는지 보이는가?
그 두려움을 피하기 위해 당신이 쓰는 방법을 적어 보자.

이제 이 두려움을 사랑과 흥분, 영감으로 대체하고
이를 당신이 하는 모든 행동의 동기로 삼으면 어떻게 될지 적어 보자.

우리는 언제나 심리적 평안을 얻기 위해 골몰한다. 사람들은 끊임없이 이런 생각을 한다. "갑자기 곤란한 질문을 받으면 어떡하지? 뭐라고 대답해야 하지? 난 미리 준비된 질문이 아니면 심하게 긴장하는데……." 이것이 고통이다. 불안에 떨며 끊임없이 떠들어 대는 이 내면의 목소리는 고통의 한 형태다. "그를 정말 믿을 수 있을까? 나를 다 내보여 주었다가 이용만 당하면? 다시는 그런 일을 겪고 싶지 않은데……." 늘 자신에 대해 생각하다 보면 이렇게 고통스러워진다.

당신이 늘 온갖 생각을 하고 있다는 걸 알아차렸는가? 다음번에 또 이런저런 두려운 생각이 떠오르거든 잠시 생각을 멈추고 생각 속의 그런 사람이 되고 싶은지, 아니면 자유로워지고 싶은지 자문해 보자.

한발 뒤로 물러나서 마음이 쓰는 소설에

빠져들지 않겠다고 결심하면 어떤 일이 일어날지 적어 보자.

나는 그런 생각과 별개의 존재이고,

그런 생각이 곧 내가 아님을 깨달았는가?

동물은 학대당하면 겁을 먹는다. 당신의 마음에 일어난 일도 바로 이런 것이다. 당신은 마음에게 감당할 수 없는 책임을 지움으로써 마음을 학대해 왔다. 잠시 멈춰서 당신이 마음에게 무슨 일을 시켰는지 생각해 보자. 당신은 마음에게 이렇게 말했다. "세상 모든 사람이 날 좋아했으면 좋겠어. 날 험담하는 사람이 없었으면 좋겠어. 내가 하는 모든 말과 행동을 사람들이 좋아하고 받아들였으면 해. 누구도 내게 상처를 주지 않았으면 좋겠어. 내가 싫어하는 일은 절대 일어나면 안 돼. 반면 내가 원하는 일은 전부 다 이뤄져야 해." 그러고는 당신은 이렇게 덧붙였다. "자, 마음아, 밤낮 머리를 싸매고 생각해서라도 내가 말한 이 모든 것이 실현될 방법을 찾아내 보렴." 마음은 당연히 이렇게 말했다. "그러고 있어요. 앞으로도 계속 노력할게요."

하루 동안 마음이 그렇게 하는 걸 지켜보라.
마음이 매사가 잘 돌아가게 하려고 애쓰는 게 보이는가?
현실이 당신의 정신 모형대로 펼쳐지지 않을 때
마음이 어떻게 안간힘을 썼는지 적어 보자.

당신은 내면의 문제를 고치기 위해 마음에게 세상을 조종하라는 불가능한 임무를 부여했다. 건강한 존재가 되고 싶다면 마음에게 더는 그런 일을 강요하지 말아야 한다. 세상만사가 당신이 원하는 대로 돌아가서 당신의 기분이 더 좋아지도록 하라는 임무로부터 마음을 해방시켜야 한다. 마음은 그런 일을 해낼 능력이 없다. 마음을 그 일에서 해고하고, 대신 당신 내면의 문제들을 놓아 보내라.

마음에게 세상 모든 사람과 일이 당신이 원하는 대로 돌아가게 하려고 애쓸 필요가 없다고 말해 주어라.
다음의 편지를 작성해서 마음에게 보내 주자.
"날 보호하려고 애써 줘서 고마워. 이제 나는 네게 _____ 해 달라고 했던 임무를 취소할 준비가 됐어."

당신은 마음과 새로운 관계를 맺을 수 있다. 마음은 세상이 당신의 기존 관념에 부합되게 하려고 당신에게 이걸 해라, 저걸 하면 안 된다고 떠벌린다. 그 말을 귀담아듣지 말아야 한다. 금연할 때와 똑같다. 마음이 뭐라고 하든 무조건 담배를 입에 대면 안 된다. 저녁을 먹은 직후든, 초조해서 담배를 꼭 피워야 할 것 같은 마음이 들든 상관없다. 마음이 무슨 이유를 대든 그저 손이 더 이상 담배를 건드리지 않는 것이다. 마찬가지로 마음이 이래라저래라 말하기 시작할 때 그 말을 믿지 말아야 한다. 마음은 만사가 좋아지려면 그렇게 해야 한다고 말하지만, 실은 내가 만사에 불만이 없어지는 순간에 만사는 좋아지기 마련이다. 그리고 그것만이 만사에 문제가 없어지는 유일한 때이다.

당신이 할 일은 마음이 내면의 문제를 해결해 주기를 기대하지 않는 것뿐이다. 그것이 해결책의 핵심이자 뿌리이다.

무언가를 통제하거나 보호하거나 회피하려는 생각을 지켜보자. 그런 생각이 떠오르면 "그런 생각을 해 줘서 고마워, 마음아. 하지만 난 괜찮아"라고 말하고 마음의 지시를 무시해 버리자. 생각이 어떻게 가라앉았다가 다른 생각으로 진화하는지 알아차리자.

이런 생각들과 새로운 관계를 맺으니 어떻게 되었는지 적어 보자.

이런 생각들이 그저 지나가도록 보내 주니 당신의 행동이 달라졌는가?

마음은 당신의 관심이라는 힘으로 굴러간다. 관심을 거둬라. 그러면 생각하는 마음도 떨어져 나간다.

작은 것부터 시작하라. 예를 들어, 누군가 당신 마음에 들지 않는 말을 하거나 더 심하게는 당신을 아예 무시했다고 하자. 길을 가다가 친구를 만나서 인사했지만 그들은 대답도 없이 그냥 지나가 버린다. 당신 인사를 못 들은 것인지, 아니면 당신을 정말로 무시한 것인지 알 길이 없다. 그들이 당신에게 화가 났는지 아니면 무슨 일이 있었는지도 알 수 없다. 당신의 마음은 바삐 돌아가기 시작한다. 이럴 때야말로 현실을 점검해 봐야 한다. 이 지구에는 수백만 명이 있고, 그중 한 명은 당신에게 인사를 안 할 수도 있다. 겨우 그걸 못 참겠다는 건가? 그걸 합리적이라고 할 수 있을까?

이렇게 일상에서 일어나는 사소한 일들을 이용해 자신을 해방하는 훈련을 하라. 위와 같은 경우에 그저 마음의 장단에 놀아나지 않기로 마음먹으면 그만이다. 그렇다고 해서 마음이 늘 하던 대로 무슨 일이 일어났는지 알아내려는 것까지 막겠다는 뜻이 아니다. 그저 마음이 또 소설을 써 내려가는 걸 기꺼이 지켜볼 수 있고, 그럴 준비가 되었다는 뜻이다. 당신이 얼마나 상처받았고, 어떻게 상대가 그런 짓을 할 수 있냐고 떠들어 대는 마음의 소리를 지켜보라. 마음이 그 일을 어떻게 받아들일지 고민하는 걸 지켜보라. 이 모든 난리가 그저 누군가가 당신에게 인사하지 않았다는 데서 비롯되었다는 사실이 놀랍지 않은가? 정말 믿기지 않는다. 그저 마음이 떠들어 대는 걸 지켜보면서 계속 긴장을 풀고 흘려보내라. 마음의 소리 뒤로 물러나라.

오늘 또 마음이 어떤 소설을 쓰는지 지켜보고 여기에 적어 보자.

만일 그 소설이 당신이 지어낸 거라면 어떻게 될까?

타인의 말과 행동 이면의 동기를 당신은 절대 알 수 없다면?

이 소설에 당신의 모든 에너지를 낭비하는 게 어리석지 않을까?

그 일을 그만둔다면 당신의 마음은 훨씬 더 고요해지지 않을까?

규칙적으로 자신의 마음을 지켜보도록 상기시킴으로써 자유로 가는 이 여정을 시작하라. 이것이 마음속에서 길을 잃고 헤매지 않도록 지켜 줄 것이다. 마음의 중독은 심각하기 때문에 당신이 마음을 지켜보도록 다시 일깨워 줄 방법을 정해 놓아야 한다. 매우 간단한 알아 차리기 연습이 있다. 몇 초밖에 안 걸리지만 이 연습을 통해 당신은 마음의 배후에서 중심을 잡고 머물 수 있다. 자동차 운전석에 앉을 때마다 잠시 멈추고, 자신이 텅 빈 우주 공간 속을 돌고 있는 한 행성 위에 앉아 있다는 사실을 기억해 내라. 그러고는 삶의 통속극 속에 휘말리지 않겠다고 다짐하라. 다시 말해서, 일어나고 있는 일을 그 자리에서 놓아 보내고, 마음의 게임에 끼어들지 않기로 했음을 자신에게 다짐하라. 자동차에서 내리기 전에도 같은 연습을 하라.

자동차에 탈 때 혹은 내릴 때마다

이렇게 마음의 중심을 잡는 연습을 하자. 무엇을 깨달았는가?

광활한 우주의 일부로서 자신을 상상하고

마음의 중심을 잡을 수 있었는가? 그랬다면 그게 어떤 기분이었는가?

마침내는 에너지 흐름에서 일어나는 모든 변화가 그것이 마음의 동요든, 생각의 변화든 간에 당신은 배후에서 알아차리는 존재라는 사실을 일깨워 주는 방아쇠가 될 것이다. 이전까지 당신의 발목을 잡았던 것이 이제는 당신을 깨어나게 할 것이다. 하지만 그 전에 마음이 너무 날뛰지 않도록 가라앉혀야 한다. 그러면 이 방아쇠들이 당신으로 하여금 중심에 머물러 있도록 일깨워 줄 것이다. 마침내 마음(mind)이 고요해지면 당신은 그저 가슴(heart)이 반응하는 걸 지켜보고, 마음이 움직이기 전에 먼저 가슴의 반응을 놓아 보낼 수 있게 될 것이다. 이 여행을 하다 보면 어느 시점에서 모든 건 마음이 아니라 가슴의 문제가 된다. 당신은 마음이 가슴을 뒤따른다는 사실을 깨닫게 될 것이다. 마음이 떠들어 대기 훨씬 전에 가슴이 먼저 반응한다. 의식이 깨어 있으면 가슴에서 에너지의 변화가 일어날 때 당신은 모든 것을 인식하는 자임을 즉시 알아차리게 된다. 가슴에서 먼저 놓아 보내므로 마음은 반응할 틈도 없다.

오늘은 마음과 가슴에서 어떤 변화가 일어났는지 알아차리자.
그 변화가 곧 놓아 보내야 한다는 신호다. 이런 변화가 일어날 때마다
긴장을 풀고 마음의 중심을 잡을 수 있는지 살펴보자.
그럴 때마다 어떤 경험을 했는지 적어 보자.

한동안 이 연습을 했다면
마음이 떠들어 대기도 전에
가슴의 변화를 알아차리고
긴장을 풀 수 있을 것이다. 어쩌면 이미
그런 경험을 했을 수도 있다.
가슴의 반응을 알아차린 다음,
마음이 생각을 장악하기 전에
가슴의 반응을 놓아 보내니
어땠는지 적어 보자.

진정한 영적 성장과 근본적 변화를 위해

꼭 필요한 요소 중 하나는

고통과 화해하는 것이다.

자신의 혼란과 대면할 수 있게 되면 가슴속 깊은 곳에 고통의 층이 한 겹 자리하고 있음을 깨닫게 될 것이다. 이 고통은 너무 불편하고 도발적이어서 자아의 존재를 위협하기 때문에 당신은 그것을 피하는 데 온 삶을 바쳐 왔다. 당신의 온 인격이 이 고통을 피하기 위해 키워 온 사고와 행동과 신념과 존재 방식 위에 형성되었다.

당신은 마음의 중심을 보호하고 고통을 피하기 위해 어떤 방법을 쓰는가? 당신의 삶에 아무도 들이지 않기? 늘 올바르게 행동하려고 노력하기? 과장되게 행동하기? 끊임없이 자신을 증명하려고 들기?

그런 일을 다 그만둔다면 어떻게 될까?

육체적 통증은 생리적으로 문제가 있을 때만 발생한다. 하지만 내면의 통증은 우리의 생각과 감정의 층 아래 늘 감춰져 있다. 예컨대 세상이 나의 기대에 미치지 못해 가슴이 혼란스러워질 때 우리는 그 통증을 가장 크게 느낀다. 이것이 내면의 심리적 고통이다.

마음은 이 고통을 피하는 걸 중심으로 형성되었고, 결과적으로 고통에 대한 두려움이 마음의 밑바탕을 이룬다.

만약 당신이 고통을 피하기 위해 무언가를 한다면, 고통이 당신의 삶을 지배하는 셈이다. 당신의 모든 생각과 감정은 당신이 품고 있는 두려움의 영향을 받을 것이다. 당신의 삶을 지배할지도 모를 두려움을 알아차려라. 그 핵심적인 고통을 피하려고 당신이 이용하는 방법을 적어 보자. 당신이 일상에서 하는 행동 중에 심리적 고통에 대한 두려움에서 비롯된 행동이 무엇인지 알아내자.

_____

_____

_____

_____

_____

_____

_____

당신은 내면의 고통과 혼란을 겁내지 않기를 배워야 한다. 고통을 두려워하는 한 당신은 그것으로부터 자신을 보호하려고 발버둥 칠 것이다. 두려움이 그렇게 시킬 것이다. 자유롭고자 한다면 내면의 고통을 그저 에너지 흐름의 일시적인 변동으로 간주하자. 이 경험을 두려워할 이유가 없다. 상대에게 무시당하거나 병이 나면 어떻게 할지, 누가 죽으면 어떻게 할지, 혹은 다른 무언가가 잘못되면 어떻게 할지 두려워할 필요가 없다. 실제로 일어나지도 않는 일을 피하느라 평생을 보낼 수는 없다. 그러다가는 모든 것이 부정적으로 변할 것이다.

마음이 지어낸 시나리오 때문에 무슨 일을 하기가 망설여지지 않는가? 어떤 두려움이나 고통으로부터 자신을 보호하려고 하는가? 그 두려움이 무엇인지 알아냈다면 이렇게 간단한 확언을 해 주자. "난 얼마든지 감당할 수 있어." 두려움과 고통은 그저 당신이 인식하는 대상일 뿐이다.

내가 고통과 두려움을 감당할 수 있다고 확언하니
어떤 기분인지 적어 보자.

_____

_____

_____

_____

_____

자신을 들여다보고 이제부터 고통은 당신에게 걸림돌이 되지 못한다고 선언해야 한다. 고통은 그저 우주 만물의 하나일 뿐이다. 누군가 당신의 가슴에 불을 지르는 말을 할 수도 있다. 하지만 그것은 지나간다. 일시적인 경험일 뿐이다. 대부분의 사람들은 내면의 혼란 속에서 평화를 지킨다는 게 어떤 일인지 상상조차 못 한다. 하지만 혼란 속에서 편안해지는 법을 배우지 않으면 그걸 피하는 데 온 삶을 바치게 될 것이다. 불안하다면 그건 그저 하나의 느낌이다. 하나의 느낌 정도는 얼마든지 다스릴 수 있다. 민망하다면 그 역시 하나의 느낌일 뿐이다. 그저 이 세상의 일부분이다. 질투로 속이 탄다면 멍든 상처를 바라보듯이 떨어져서 바라보라. 그것은 당신을 통과하는 세상 만물 중 하나이다. 그것을 웃어넘겨라. 그것을 즐겨라. 두려워하지 마라. 당신이 그것을 건드리지 않는 한 그것은 당신을 건드리지 않는다.

복잡한 감정과 편안해지는 연습을 하라. 오늘은 어떤 일 때문에 불안해지거나 남들의 눈치를 보게 되면 당신의 내면에서 무슨 일이 벌어지는지 인식하라.

왜 마음이 불편한지, 그게 누구 때문인지, 이 감정을 어떻게 다스려야 하는지 알아낼 필요 없이 그저 지금 내 마음이 불편하다는 사실을 인식할 수 있겠는가?

마음이 불편했던 일을 그저 하나의 경험으로,
살다 보면 얼마든지 일어날 수 있는 일로 적어 보자.

고통스러울 때는 고통을 그저 하나의 에너지로 보라. 이 내면의 경험들을 가슴을 통과하고, 의식의 눈앞을 스쳐 가는 에너지로 바라보라. 그리고 이완하라. 움츠러들거나 마음의 문을 닫아서는 안 된다. 힘을 빼고 놓아주어라. 아픈 부위를 정확히 맞대면할 수 있을 때까지 가슴을 계속 이완하라. 긴장되는 바로 그 지점에 머물 수 있도록 마음을 열고 받아들여라. 긴장과 고통이 있는 바로 그 자리에 기꺼이 머물러야 한다. 그런 다음 긴장을 풀고 한층 더 깊이 들어가라.

깊이 이완하고 고통이 당신을 통과해서 지나가도록 했던 때를 적어 보자.
고통을 거부하지 않고 받아들이니 어떠했는가?
고통이 당신을 통과해서 지나가도록 했더니 어떤 기분이 들었는가?

이번에는 고통에 저항하고, 놓아 보내지 않았던 때를 적어 보자.
그 상황이 잘 풀렸는가? 당신의 마음은 아직도 그때 일을 생각하는가?
그때와 비슷한 상황이 되면 또 마음이 아픈가?

힘을 빼고 가만히 저항을 느끼는 동안에도 가슴은 도망가서 문을 닫고 자신을 보호하고 방어하려 들 것이다. 그래도 계속 이완하라. 어깨와 가슴의 힘을 빼라. 고통을 놓아 보내 당신을 지나가도록 공간을 내주어라. 고통은 단지 에너지일 뿐이다. 그것을 그저 에너지로 바라보고 놓아 보내라.

가슴속에 쌓아둔 응어리가 건드려질 때 가슴이 어떻게 반응하는지 알아차려라. 강한 거부감이 느껴져도 그냥 놓아 보낼 수 있는가? 당신이 느끼는 고통과 응어리를 그저 지나가는 에너지로 보니 어떠한가?

경계와 한계는 오로지 당신이 멈출 때만 존재한다.
당신이 멈추지 않으면 경계와 한계를 넘어설 수 있다.
한정된 자아의 느낌을 넘어설 수 있다.

Part 4

그 너머로 가기

지켜보는 의식의 자리에 오래 앉아 있을수록, 당신이 바라보는 대상과 당신은 완전히 별개이기 때문에 마음이 의식에 미치는 마법 같은 영향력에서 자유로워질 방법이 분명히 존재한다는 사실을 깨닫게 된다.

이쯤 되니 좀 더 자주 의식의 자리로 물러날 수 있게 되었는가? 아니면 아직도 마음과 가슴에 끌려다니는가? 내면의 혼란과 거리를 유지하도록 도와주는 방법을 활용하고 있는가?

당신이 어떤 행동을 했고,
그 행동이 내면 상태에 미친 영향을 적어 보자.

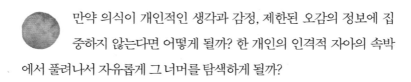 만약 의식이 개인적인 생각과 감정, 제한된 오감의 정보에 집중하지 않는다면 어떻게 될까? 한 개인의 인격적 자아의 속박에서 풀려나서 자유롭게 그 너머를 탐색하게 될까?

당신은 인격적 자아에 말려들지 않고 그저 지켜보기만 할 수 있다. 의식의 자리에 계속 앉아 있을 수 있다. 의식의 자리에 머무는 기분이 어떠할까? 관찰자가 되면 당신이 지금 지켜보는 것보다 훨씬 더 위대한 무언가와 연결되었다는 기분이 드는가?

당신의 집은 생각과 감정으로 만들어졌다. 벽은 당신의 마음이다. 그게 집의 정체다. 당신은 마음속에 특정한 생각과 감정을 끌어모은 다음, 그것들을 엮어서 당신이 사는 관념 세계를 구축한다. 이 마음의 구조물은 벽 너머에 있는 자연광을 철저히 차단한다. 생각의 벽은 너무 두껍고 외부를 완벽히 차단하기 때문에 안에는 어둠뿐이다. 당신은 자신의 생각과 감정에 온통 사로잡혀서 생각과 감정이 만들어 내는 경계 너머로 가지 못한다.

'나의' 오감에서 벗어나 평소의 나를 넘어선다는 건
어떤 일일지 적어 보자.

진정한 자유는 지척에 있다. 벽 바로 너머에 있는 것이다. 깨달음은 매우 특별한 것이다. 하지만 솔직히 말하자면 거기에 집중해서는 안 된다. 대신 빛을 가로막고 있는, 당신이 만들어 놓은 벽에 집중해야 한다. 깨달음을 얻겠다고 발버둥 치면서 깨달음의 빛을 가리는 벽을 쌓아 올리는 건 무슨 짓이란 말인가? 당신은 쉽게 밖으로 나갈 수 있다. 그저 나날의 삶이 당신을 에워싼 벽을 무너뜨리도록 내버려 두면 된다. 당신의 요새를 보수하고 지키는 데 나서지만 않으면 된다.

당신이 있는 자리에서 시작하라. 인격적 자아의 벽을 쌓아 올린 사람이 나 자신이라는 사실을 인식한 상태에서 방어하지 말고 그 순간에 존재하는 법을 연습하라. 마음속에 떠오르는 생각과 감정을 전부 받아들이면서 어떻게든 그걸 없애려고 하지 않을 수 있겠는가? 소리와 색, 사람을 알아보면서 삶을 받아들이도록 하자. 삶의 아름다움과 추함을 받아들이자. 그냥 놓아 보내고, 내면과 외부에서 일어나는 일 모두와 그저 함께하자. 어떤 기분이 드는가?

경계 너머는 사방으로 무한히 펼쳐져 있다. 레이저 빔을 어느 한 방향으로 비추면, 그 빛은 무한히 뻗어갈 것이다. 빛이 통과할 수 없는 인위적인 경계를 만들었을 때만 빛은 한계에 부딪혀 멈춘다. 경계는 무한한 공간에 유한성을 만들어 낸다. 당신의 관념은 정신적 경계에 부딪히기 때문에 매사에 한계가 있는 것처럼 보인다. 하지만 사실은 모든 게 무한하다. 영원히 뻗어나갈 수 있는데도 여기서 1마일만 갈 수 있다고 주장하는 사람은 당신이다.

지금 당장 당신 앞에 있는 사물을 바라보자. 그런 다음 우주에 존재하는 무한히 많은 장소를 떠올려 보자. 각각의 장소가 얼마나 넓은지 상상해 보자. 그런 시각에서 보면 당신 앞에 있는 물건이 조금이라도 달라 보이는가? 아니면 우주 속 어느 장소보다도 더 중요해 보이는가? 앞을 바라봤다가 이제는 오른쪽과 왼쪽을 보자. 어느 한쪽의 풍경이 다른 것들보다 정말로 더 중요한가? 오로지 마음만이 전체에서 딱 하나를 분리해서 그걸 더 중요하거나 특별하게 만든다. 이제 그 진실을 볼 수 있겠는가?

마음이 개인적 관념이라는 경계 안에서
현실 경험을 어떻게 제한하는지 적어 보자.

사물에 대한 당신의 관점에 이의를 제기하는 어떤 일이 일어나면 당신은 싸우고 방어하고 합리화한다. 아주 사소한 일에도 분노한다. 이것은 실제로 일어나는 일을 당신이 생각해 둔 현실의 틀에 끼워 맞추지 못한 결과이다. 당신의 틀을 넘어가려면, 그걸 믿지 않는 위험을 감수해야만 한다. 마음의 틀이 당신을 괴롭힌다면, 그건 거기에 현실이 반영되지 않았기 때문이다. 당신은 현실에 저항할지, 아니면 자신이 만든 틀의 한계를 넘어설지 선택해야 한다.

현재 당신에게 이의를 제기하는 사건이나 상황을 찾아보자.
그것이 당신이 생각하는 현실의 모형과 어떻게 어긋나는지 적어 보자.

이제 당신의 모형을 내려놓고 당신에게 이의를 제기하는 사건을 그저 현실의 일부로 받아들이자. 하늘에서 내리는 비처럼 그 사건 역시 그저 존재할 뿐이다.

우리가 어떤 행동을 왜 하는지 알고 싶다면 그 행동을 하지 않을 때 어떤 일이 일어나는지 지켜보면 된다. 당신이 흡연자라고 해 보자. 금연하기로 결심했다면 곧바로 담배를 피우고 싶다는 충동에 직면한다. 이 충동에 넘어가지 않고 지나가도록 지켜볼 수 있다면 왜 그런 충동이 들었는지 깨닫게 된다. 마찬가지로 폭식에도 이유가 있다. 옷을 입는 방식에도 이유가 있다. 당신이 하는 모든 행동에는 이유가 있다. 당신이 옷차림과 머리 모양에 왜 그렇게 신경을 쓰는지 알고 싶다면 하루만 신경 쓰지 말아 보라. 아침에 일어나 부스스한 머리로 아무 데나 가 보라. 그 과정에서 내면의 에너지가 어떻게 변하는지 지켜보라. 당신을 편안하게 해 주던 행동들을 하지 않을 때 어떤 일이 일어나는지를 살펴보라. 왜 자신이 그런 행동을 하는지 알게 될 것이다.

오늘은 평소에 더 나은 사람이 되기 위해 습관적으로 하는 행동을 하나만 골라서 그걸 하고 싶은 충동이 지나갈 때까지 기다려 보자. 어떤 생각이 드는가? 어떤 감정이 드는지 탐색해 보고, 왜 그런 습관이 생겼는지 적어 보자.

이제 당신은 에고와 대면하고 있다.
에고가 얼마나 강한지 주목하라.
정말로 원한다면
에고보다 더 강해질 수 있는가?

진정으로 경계를 넘어가고 있다면 당신은 매 순간 자신의 한계에 부딪히게 된다. 안전지대로는 결코 돌아가지 않는다. 영적인 존재는 자신이 늘 가장자리에 부딪히고 있음을 느낀다. 그들은 끊임없이 경계를 향해 밀고 나간다. 마침내 당신은 심리적 한계를 넘어서도 다치지 않는다는 사실을 깨닫게 될 것이다. 기꺼이 가장자리에 서서 계속 걸어가기만 하면 그 너머로 가게 될 것이다. 예전에는 불편하면 뒤로 물러섰지만 이제는 긴장을 풀고 그 너머로 지나간다. 한계를 넘어서기 위해 필요한 것은 그것뿐이다. 지금 일어나는 일을 다스려서 방금 전에 있었던 그곳을 넘어가라.

당신의 한계는 어디인가?
당신을 불편하게 하는 것을 한 가지 적어 보자. 그런 다음,
당신의 발목을 붙잡는 이 영역을 어떻게 넘어갈 수 있을지 적어 보자.
불편함을 감당하고 긴장을 푼 상태로 지나갈 수 있겠는가?

이 모두는 우리가 자아 관념에 집착하는 이유를 이해하는 문제로 귀착한다. 집착을 멈춰 보면 왜 집착하는 경향이 생겼는지 그 이유가 드러날 것이다. 자신의 가면을 벗어 버리고, 그것 대신 새로운 것을 뒤집어쓰려고도 하지 않으면, 당신의 생각과 감정은 닻을 내리지 못하고 지나갈 것이다. 이것은 매우 무서운 경험일 것이다. 당신은 가슴 깊은 곳에서 패닉에 빠지고, 자신이 어떤 상태인지 깨닫지 못할 것이다. 외부에서 벌어지는 아주 중요한 어떤 일이 마음속의 틀에 들어맞지 않을 때 사람들은 그렇게 된다. 이제는 가면이 통하지 않고 무너져 내린다. 가면이 더 이상 자신을 보호해 주지 못하면 당신은 엄청난 두려움과 공포에 빠진다. 하지만 그 공포에 기꺼이 맞설 각오가 되어 있다면, 그걸 이겨 내는 법이 있다는 사실을 알게 될 것이다. 공포를 느끼는 의식 속으로 더 깊이 들어가면 공포가 멈추고, 여태껏 한 번도 느껴 보지 못했던 크나큰 평화가 밀려올 것이다.

감정은 언젠가는 사라진다. 이는 아주 소수의 사람만 깨달은 진실이다. 소음, 두려움, 혼란, 끊임없이 변하는 이런 내면의 에너지는 모두 언젠가는 사라진다.

자아 관념 전부를 완전히 놓아주면 어떻게 될지 상상해 보자. 마음에 벽을 쌓아 올리게 만든 원초적 두려움과 당당히 맞설 수 있겠는가? 이 두려움 이면에는 무엇이 있을까?

당신이 거짓된 자아감을
끊임없이 만들고 보호하지 않을 때
얼마나 마음이 편안할지 상상하고
그에 대해 써 보자.

영성(spirituality)은 어떤 대가를 치러서라도
경계를 넘어서겠다는 결심이다.
여생 동안 매일 매 순간 자신을 넘어서는
끝없는 여정이다.

진정으로 영적으로 살면 당신은 보통 사람들과 완전히 달라진다. 다른 모든 사람들이 원하는 걸 더는 원치 않게 된다. 다른 모든 사람들이 거부하는 걸 온전히 받아들이게 된다. 자신의 틀이 깨지기를 원하고, 자신을 괴롭게 하는 경험을 소중히 여기게 된다. 타인이 하는 말이나 행동이 왜 당신을 불편하게 하는가? 당신은 망망한 허공 속을 도는 한 행성 위에 있을 뿐이다. 당신은 여기에 잠시 방문했을 뿐이며 단지 몇십 년이 지나면 떠날 것이다. 그런데 왜 매사에 스트레스를 받으며 살아야 하는가? 그러지 마라. 마음을 어지럽히는 일이 일어났다면 이는 그 사건이 당신의 틀과 어긋났다는 뜻이다. 그것은 당신이 멋대로 정의한 현실을 통제하기 위해 당신이 지어낸 그릇된 부분이 모든 일과 마찰을 일으키고 있음을 뜻한다. 만일 그 틀이 현실을 정확히 반영하고 있다면 당신이 실제로 체험하는 현실과 왜 어긋나겠는가? 마음속에서는 결코 현실이라 부를 수 있는 것을 지어낼 수 없다.

당신의 모형이 현실과 충돌하는 날에도 미소를 지을 수 있다고 상상해 보자. 심지어 큰소리로 웃을 수도 있다. 마음속으로 잔뜩 긴장하지 말고 그 사건에 새로운 방식으로 반응하자. 모형이 현실과 충돌하면 "이런 일이 일어나는 게 너무 좋아!"라고 말해 보자.

방어적으로 돌변하면서
불편해질 때도
긴장을 풀고 웃어넘기는 게
어떤 기분인지 적어 보자.

210

심리적 혼란 속에서도 편안해지는 법을 배워야 한다. 마음이 지나치게 분주해지면 그저 가만히 지켜보라. 가슴이 뜨거워지기 시작하면 겪어야만 하는 일이 지나가도록 내버려 두어라. 마음이 바빠지고 가슴이 뜨거워지고 있음을 알아차리는 당신의 일부를 알아내도록 노력하라. 그 부분이 당신의 탈출구이다. 틀을 만드는 것으로는 탈출할 수 없다. 내적 자유로 가는 유일한 길은 모든 걸 지켜보는 자, 참나를 통한 길뿐이다. 참나는 생각이 많아지고 감정이 올라오는 걸 그저 알아차린다. 또한 그걸 가라앉히려고 안간힘을 쓸 필요가 없다는 것도 안다.

온종일 머리와 가슴에서 어떤 생각이나 감정이 떠오르든 편안하게 받아들이는 실험을 해 보자. 평소 당신에게 특정한 행동을 하게 만들었던 내면의 에너지를 그냥 지켜볼 수 있겠는가? 마음이 조금 불편해져도 편안히 받아들일 수 있겠는가?

참나 안에는 모든 경험을 위해 마련된 공간이 있다. 당신 안에서 일어나는 어떤 생각과 감정이든 처리할 필요가 없다고 상상해 보자. 더는 애쓸 필요 없고, 당신은 어떤 상황에서든 평온하다.

이런 엄청난 평화를
어떻게 감지했는지
적어 보자.

내면 깊은 곳의 응어리를 풀어내는 것은
그 자체로 영적 수행이다. 저항하지 않고, 받아들이고,
내맡김으로 가는 길이다.

Part 5

삶을 살기

사람들은 너무 많은 선택으로 자신에게 짐을 지운다. 하지만 결국 다른 짐은 다 던져 버리고 가장 기본적이고 근원적인 선택 하나만 하면 된다. 행복해지고 싶은가, 행복해지고 싶지 않은가? 아주 간단하다. 일단 이 선택을 하고 나면 어떻게 살아야 할지 아주 분명해진다.

당신을 불행하게 만든다고 믿는 것에 대해 적어 보자.
'힘든' 혹은 '스트레스 받는'처럼 그 일에 달라붙은 꼬리표에
동그라미를 쳐 보자.

그 일을 다시 적어 보되 이번에는

실제로 일어나는 일만 묘사하는 단어를 선택해서 적어 보자.

당신을 괴롭히는 단어를 보면서 긴장을 풀고 그 단어를 놓아주자.

호흡하고, 내면의 대화를 지켜보는 곳에 앉아 있는 동안

어떤 생각이 떠오르는지 알아차리자.

당신은 그저 마음을 열고 삶을 경험하는 걸 선택할 수 있다.

단, 행복하기를 선택한다고 말할 때는 진심이어야 한다. 무슨
일이 일어나든 행복해지고 싶다는 의미여야 한다. 이는 진정한
영적 수행이고, 곧장 깨달음으로 가는 확실한 길이다.

온종일 마음을 열고 행복해지겠노라고 마음먹어라.
시간이 흐르며 마음이 당신에게 이건 이래야 한다, 저건 저래야 한다고
말하는 걸 알아차려라. 당신이 경험에 저항하고 마음의 문을 닫는지
지켜보라. 마음 깊은 곳에서 긴장을 풀고, 무슨 일이 생기든
받아들일 수 있겠는가?

당신에게 마음의 문을 닫게 한 일이
무엇이었는지, 어떻게 다시 문을 열 수 있었는지 적어 보자.

_____

_____

_____

_____

_____

_____

_____

_____

_____

무조건적인 행복으로 가는 길은 매일 열린 마음을 유지하는 법을 배우는 여정이다. 시간이 걸리더라도 낙담하지 마라. 더 나은 사람이 되려고 진심으로 노력하는 것 자체를 기특하게 여겨라.

일단 무조건 행복해지겠다고 결심하고 나면 반드시 당신을 시험하는 일이 벌어질 것이다. 당신의 각오를 시험하는 그 사건이야말로 당신의 영적 성장을 재촉한다. 사실 무조건 행복해지겠다는 그런 각오가 이 여정을 고귀하게 만든다. 아주 단순하다. 자신의 결심을 깰 것인지 말 것인지 결정해야 한다. 만사가 순조로울 때는 행복해지기 쉽다. 하지만 힘든 일이 생기는 순간부터 그것은 그리 호락호락하지 않다.

당신이 통제할 수 없는 단순한 것, 이를테면 날씨를 대상으로 이 말이 맞는지 시험해 보라.
당신이 어떤 반응을 보이는지 주의를 기울여라. 너무 더운가? 너무 추운가? 확언이나 긍정적 생각을 하거나 혹은 당신이 어떤 반응을 보이든 그저 긴장을 풀면서 마음을 계속 열어둘 수 있는지 실험해 보자. 불평하는 마음에서 물러나 참나의 자리로 돌아가자.

날씨가 어떻든 간에 어떻게
무조건 행복해지기를 선택했는지 적어 보자.

행복을 유지하는 열쇠는 매우 간단하다. 당신 내부의 에너지를 이해하는 것에서부터 출발하라. 내면을 잘 살펴보면 행복할 때는 가슴이 열리고 안에서 에너지가 솟구친다는 사실을 알게 될 것이다. 행복하지 않을 때는 가슴이 닫히고, 안에서 아무런 에너지도 올라오지 않는다. 그러니 그저 늘 행복해하고, 가슴을 닫지 마라.

가장 좋은 접근법은 마음이 이미 열렸을 때 연습하는 것이다. 두 번째로 좋은 방법은 어떤 일로 인해 마음이 닫혔을 때 긴장을 풀고, 이 일을 행복과 바꾸지 않겠다고 결심하는 것이다. 오늘은 무슨 일이 일어나든 마음을 닫지 않는 연습을 해 보자.

하루가 끝날 무렵에 내면의 에너지가
어떻게 느껴지는지 적어 보자.

스트레스를 받는 상황이 오면
"와, 지금이야말로 긴장을 풀 수 있는 좋은 기회야!"라고 말해 보자.
당신은 무슨 일이 일어나든 행복을 선택할 수 있는 힘이 있다.

스트레스는 삶의 사건들에 저항할 때만 생긴다. 삶을 밀어내지도, 당신 쪽으로 잡아당기지도 않는다면 어떤 저항도 일어나지 않을 것이다. 당신은 그저 존재할 뿐이다. 이런 상태에서는 삶의 사건이 일어나는 것을 그저 지켜보고 경험할 뿐이다. 이렇게 살기로 마음먹는다면 삶이란 아주 평화로울 수 있다는 것을 깨달을 것이다.

삶에서 당신이 밀어내려는 것이 있고, 또 당신 쪽으로 잡아당기려고 하는 게 있다는 걸 알았는가? 그 때문에 스트레스와 불안이 생긴다는 사실도? 그게 정말로 그 정도로 가치가 있을까? 아니면 그냥 삶의 흐름을 존중하는 게 더 나을까?

이 심오한 주제에 대한 당신의 생각을 적어 보자.

죽음을 생각해야만 최상의 삶을 살 수 있는 건 아니다. 왜 죽음이 모든 걸 빼앗아 가는 순간에 이르러서야 내면 깊이 들어가서 가장 높은 잠재력에 도달하기를 배우겠다는 것인가? 한 현자가 이렇게 말했다. "삶의 마지막 숨을 거둘 때 이 모든 게 바뀔 수 있다면 나는 살아 있는 동안 최상의 삶을 살고 싶다. 내가 사랑하는 사람들을 더는 괴롭히지 않을 것이다. 내 존재의 가장 깊은 곳에 자리 잡고서 살아갈 것이다."

지난주로 돌아갈 수 있다면 시간을 어떻게 쓰겠는가?

죽음을 두려워하지 마라. 죽음이 당신을 해방시키게 하라. 죽음으로부터 삶을 온전히 경험할 용기를 얻어라. 하지만 기억하라. 이것은 당신의 삶이 아니다. 당신은 자신에게 일어나는 삶을 경험하는 것이지, 일어나기를 바라는 삶을 경험하는 것이 아니다. 다른 일을 일어나게 하려고 애쓰느라 삶의 한 순간도 허비하지 말라. 당신에게 주어진 순간에 감사하라.

오늘은 당신이 이 지구에서 살도록 주어진 시간에 감사하는 연습을 하자.

마음을 열어 둔 채 오늘 당신이 느끼고 지켜본 것을
감사한 경험에 대해 적어 보자.

228

모든 것을 한 줄에 꿰는 보이지 않는 실이 있다. 모든 것은 그 중심의 균형점을 향해 조용히 나아간다. 그것이 도(道)다. 그것은 만물 속에 있다. 도는 태풍의 눈이다. 그것은 완전한 평화 속에 있다.

삶에서 당신이 극단을 오가는 영역과 중심에 균형을 잡은 영역이 어디인지 생각해 보자. 어떤 부분에서 균형을 잃었는가? 무언가를 너무 많이 해서 균형을 잃었는가? 아니면 너무 적게 해서? 삶의 이런 영역을 적어 보고 조화로 가는 길을 찾아가 보자.

자신을 몸보다 영과 동일시하면 어떻게 될까? 예전에는 불안과 긴장을 느끼며 걸어 다녔지만 이제는 사랑을 느끼며 걸어 다닌다. 아무 이유 없이 사랑을 느낀다. 사랑이 당신의 배경이 된다. 열린 마음과 아름다움, 감사가 배경이 된다. 그렇게 느끼려고 애쓸 필요가 없다. 영은 저절로 그렇게 느낀다. 평소 몸의 느낌이 어떠냐는 질문을 받는다면 아마 당신은 대체로 이런저런 일로 불편하다고 말할 것이다. 그렇다면 마음은 어떤가? 아주 솔직히 말한다면 아마 늘 불만과 두려움으로 가득 차 있다고 할 것이다. 그렇다면 영은 주로 어떤 느낌인가? 사실 영은 늘 기분이 좋다. 늘 행복하다. 늘 마음이 열려 있고 가볍다.

명상을 하거나 삶에 마음을 활짝 열었다는 기분이 들 때 육체적, 감정적, 정신적 측면의 굴레에서 벗어났다고 느낀 순간이 있었는가?

한 개인으로서의 자아를 놓아 버리고
당신의 존재 안에 있는 더 높은 곳으로 날아오를 때
어떤 기분이 들었는가?

심판하는 신이라는 관념을 놓아 보내라. 당신은 사랑 깊은 신을 가졌다. 사실, 사랑 자체가 곧 신이다. 사랑은 사랑하는 것 외에 다른 일은 할 수 없다. 당신의 신은 환희 속에 있고, 당신은 절대 그 사실을 바꿀 수 없다.

신이 환희 속에 있다면, 신은 당신에게서 무엇을 볼까?
무조건적인 사랑을 받을 수 있다면 당신은 어떻게 될까?
신이 당신을 완전히 받아들이고, 사랑하고,
심판하지 않는다고 상상해 보자.
그런 사랑이 당신의 삶을 어떻게 바꿔 놓을지 적어 보자.

역자 **노진선**

숙명여대 영어영문학과를 졸업했고, 전문 번역가로 활동하며 다양한 작품들을 번역해 왔다. 옮긴 책
으로 에이다 칼훈의《우리가 잠들지 못하는 11가지 이유》, 매트 헤이그의《미드나잇 라이브러리》, 조
디 피코의《작지만 위대한 일들》, 피터 스완슨의《죽여 마땅한 사람들》, 요 네스뵈의《스노우 맨》《레
오파드》《네메시스》등 '형사 해리 홀레 시리즈'와 엘리자베스 길버트의《먹고 기도하고 사랑하라》
등이 있다.

명상 저널 : 상처받은 영혼을 위한 치유 라이팅북

초판 1쇄 인쇄 2022년 8월 15일
초판 1쇄 발행 2022년 9월 15일

지은이 | 마이클 싱어
옮긴이 | 노진선

펴낸이 | 정상우
편집주간 | 주정림
디자인 | 석운디자인
펴낸곳 | (주)라이팅하우스
출판신고 | 제2014-000184호(2012년 5월 23일)
주소 | 서울시 마포구 잔다리로 109 이지스빌딩 302호
주문전화 | 070-7542-8070 팩스 | 0505-116-8965
이메일 | book@writinghouse.co.kr
홈페이지 | www.writinghouse.co.kr

한국어출판권ⓒ 라이팅하우스 2022
ISBN 979-11-978743-1-4 (03180)